공지영의
지리산
행복학교

공지영의 지리산 행복학교

오픈하우스

목차

지리산 행복학교의 개교

누구나 도시에 지치지만 아무나 도시를 떠날 수는 없다.
지금 그들이 지리산을 등에 지고, 섬진강을 바라보며 옹기종기 모여 산다.
그곳이 바로 지리산 행복학교다.

생각 없이 놀러다니던 지리산에 내가 출판사 편집자들을 동반하고 가기 시작한 것은 벌써 몇 년 전의 일이다. 그곳에 사는 내 친구 두 사람—그들의 이름은 낙장불입과 버들치 시인이다—에게 그들의 삶을 써보라고 권하기 위해서였다. 그들은 "그러니까 이런 이야기를 써보자, 저런 이야기도 재미있고"라고 그럴 듯한 기획안을 내놓으면 뭐 딱히 그러지 않겠다고도 그러겠다고도 하지 않고 그저 빙그레 웃기만 했다. 문제는 내게서 그들의 재미있고 의미 있는 삶을 전해들은 편집자들도 나와 함께 내려갈 때는 기세 좋게 기획안을 짜고 이것저것 자문하다가도 막상 지리산 꼭대기 낙장불입 시인의 피아산방이나 매화가 흐드러진 동쪽 매화마을, 버들치 시인의 뜨끈한 황토방에 앉아 술이 몇 잔 들어가기만 하면 자기네들이 여기 왜 왔는지 잊어버리고 만다는 것이었다. 심지어 내가 데리고 간 어떤 기자는 한 번도 기타를 쳐 본 일이 없는데 그걸 잊어버리고 밤새 기타를 퉁기기도 했다(괴로웠다!). 그리하여 너희들이

✤ 지리산에는 아직 눈이 쌓였는데, 매화는 그 틈에 눈을 떴다. 버들치 시인의 집 뒷산에서 첫 꽃망울을 터뜨린 매화

정히 쓰지 않는다면 오냐, 내가 써주마 한 것이 이렇게 내가 이 글을 쓰기에 이른 까닭이다. 그런데 나 역시 그리로 내려갈 때는 취재노트와 카메라 등을 챙겨 맑은 정신으로 출발했다가 하루만 지나면 뭐 이렇게 살고 이렇게 놀면 되지 뭐 꼭 그걸 글로 써야 하나 이런 생각이 드는 것이었다.

그러나 어찌어찌하여 종당에는 한 일간지에 그걸 매주 연재하기로 결정이 되어버렸다.

연재 시작을 앞둔 어느 날 섬진강 망덕 포구에서 손바닥보다 큰

벚굴을 구워 먹는데 비는 추적추적 내리고 바다는 우울하고 벌건 숯불에서 굴이 익어가는 냄새는 구수하고 따스한데 거푸 마신 소주 때문이었을까, 순간 머릿속이 약간 아득해지면서 무작정 그냥 딱, 거기 눌러앉아 살고 싶었다. 옆에 앉은 버들치 시인에게 내가 물었다.

"형, 나 글이고 뭐고. 그냥 여기서 이렇게 소주 마시고 바다나 보면서 살았으면 좋겠다."

그러자 사람 좋은 그는 너라고 왜 안 그렇겠냐는 듯 대답했다. "그려············ 꽁지야············· 내가·············· 왜······ 요즘·············." 이런 식으로 말이다(그는 말 사이에 말보다 긴 뜸을 들이므로 앞으로는 위에 쓴 ······ 부호는 생략하기로 하지만 독자 여러분께서는 ······ 부호를 넣어 읽어주시기 바란다).

그리하여 DVD플레이어를 3배속으로 재생하듯 그의 말을 옮기면 이렇다. "내가 왜 시를 못 쓰는 줄 아니? 내 시의 바탕이 슬픔인데 여기 지리산에 온 이후로 그게 자꾸 없어져. 그래서 시가 안 되는 거야. 사람들은 말하지. 그럼 기쁜 이야기를 써라. 행복하다고 말이야. 그런데 기쁘고 행복한데 어떤 놈이 시를 쓰겠냐고."

그랬다. 나는 그를 이해했다. 나와 지리산의 인연도 그렇게 시작되었다.

우선 내 등반의 역사는 1982년 여름부터 시작된다. 나는 그때 해외 원정까지 다니는 베테랑 산악인 네 명(그 등반가 중 한 명이 내 친구 오빠였다)과 내 친구와 함께 설악산으로 첫 산행을 떠났다. 그들은 내설악으로 들어서더니 남들이 다니는 길은 재미가 없다며 스스로 길을 내며 봉정암을 거쳐 대청봉을 향해 등반을 하기 시작했다. 등산화도 없이 청바지에 반팔 티셔츠 입고 그들을 따라가던 나는 급기야 산중턱에서 엉엉 울면서 제발 어린 저의 앞날을 보셔서 저 혼자 도로 산을 살살 내려가게 허락해달라고 애원하기에 이르렀다. 고소공포증까지 있는 나는 절벽을 훌쩍훌쩍 건너뛰는 산행에 질려버렸던 것이다. 결국 그 가운데 한 명이 거의 나를 업다시피 해서 대청봉까지 올라가긴 했는데 아무튼 그 이후로 다른 등반은 몰라도 내 발로 걷는 등반은 사양하고 있었다.

그리고 다음 산행이 바로 이 지리산이었다. 벌써 25년 전쯤 이야기일 것이다. 그때나 지금이나 "내일부터 꼭 운동을 하자"는 결심은 굳건해서 나는 호기롭게 지리산으로 떠났다. 서울역에서 밤기차를 탔고 밤새 기차 안에서 소주를 마시고 노래를 부르며 새벽녘 구례구역에 내릴 때까지만 해도 좋았다. 우리의 리더였던 형이 역 앞에서 모두에게 할당된 먹을거리를 체크했다. 문제는 그 형의 부인이었다. 그들의 문답은 이렇게 진행되었다. "여보 쌀은?" "어머!" "김치는?" "어머!" "장조림은?" "어머!" "마늘장아찌는?" "어머! 그런 것도 가져와야 해?" "그럼 당신 뭘 가져왔는데?" "칫솔하고 옷하고 수건하고 샴푸, 초콜릿, 과자 조금하고…… 화내지 마. 나 원래 몸 약하잖아."

부인을 사랑하는 착한 리더 형은 입을 꾹 다문 채 뚜벅뚜벅 걸어가 가게에서 라면 스무 개를 사더니 본인 배낭에 넣고 앞장을 섰다. 그때만 해도 일반 가게에서 통조림 외에 밑반찬은 거의 살 수가 없던 시절이었다. 잠시 후 우리는 점심을 짓기 위해 버너에 불을 붙였다. 리더 형은 말했다. "우리가 쌀도 반찬도 안 가지고 온 주제에 호사스러운 식사를 할 수는 없다. 속죄하는 의미에서 지금부터 라면만 먹는다."

자존심 센 그가 미안해서 그런다는 걸 뭐라 할 수도 없었다. 그런데 라면을 먹고 일어서려는데 감자에 당근에 두부, 깻잎에 카레, 쌀, 고등어통조림, 꽁치통조림, 참치, 골뱅이통조림, 고추장, 초고추장, 된장, 쌈장, 버너, 코펠, 침낭, 텐트, 게다가 산에서도 음악은 들어야 한다며 작은 카세트리코더까지 넣은 내 배낭이 너무 무거웠다. 선배의 부인은 가벼운 배낭을 폴락폴락하며 내 앞에서 "꽁지 씨 생각보다 참 못 걷는다" 하며 걸어가고 있는 것이었다.

둘러보아도 나를 업어줄 사람이 한 명도 없음은 물론, 잘못하다가는 원래 연약한 선배 부인을 튼튼한 네가 업고 가라 할까 봐 겁이 나서 눈물 같은 땀을 흘리며 일단 정상까지 올라는 갔다. 전날 밤 반찬 만든다고 잠 못 자고, 기차 타고 오느라 못 자고 생전 안 오르던 산까지 탄 데다 두 끼 연속 라면만 먹고 나자 머리가 어질거렸다. 그러자 다음날부터 깊은 기침이 나오며 가래에 피까지 섞여 나오는 것이었다. 평생 처음 겪는 일이었다. 물론 다음날 아침도 참회의 의미로 라면을 먹고 종주를 시작하는데 온몸이 욱신거렸다. 그날 저녁, 나는 리더 형에게 최대한 부드럽게 건의했다.

"내가 참치김치찌개 해줄게, 밥해서 그걸 먹자 형."

그러자 리더 형은 감동하는 듯 눈물이 핑 돈 눈으로 말했다.

"넌 너무 착하구나. 그러나 안 돼, 너무 먹고 싶지만 그건 염치없는 짓이야."

그도 착하고 나도 착하고 일행도 너무 착했다. 자기네가 안 가져왔으면 자기네들이나 라면을 먹지 왜 우리까지 못 먹게 하는지 아무도 따져 묻지 않았다. 셋째 날이 되자 마음의 열은 물론이고 신체의 열까지 올랐고 이제 나는 이 무리한 산행을 더 이어갈 수가 없었다.

"미안해, 나 고산병 걸린 거 같아…… 내려가야겠어."

우리 일행은 어이가 없다는 듯 나를 바라보며 대꾸했다. "뭐라고? 여기 해발 1천7백 미터야. 무슨 고산병? 너 심해어족(深海魚族) 출신이냐?"

"안 그래도 어제부터 하반신에만 하얀 비늘 같은 것이 일어나는 게 아무래도 이상해. 이러다가 전생의 그 생물(흑흑 인어공주일지도 모른다는 표현을 차마 내 입으로 하면 모두 내가 공주병이라고 오해하겠지 흑흑)로 환원하는 것 같아. 아마 라면을 계속 먹으면 변신하는 거 같아."

그리하여 산행은 그렇게 끝이 났다. 나머지 두 사람은 "그러고 보니 요즘 기후변화로 인해 기압도 들쑥날쑥하다는데 왠지 우리도 고산병인 듯하다"고 횡설수설하더니 하산을 결심했다. 그 부부도 더 먹을 것이 없어 하는 수 없이 우리를 따라왔다. 우리는 쌍계사 계곡에서 발을 담그고 놀다가 서울로 올라왔고 뭐 그것도 그리 나쁘지는 않았다. 그리하여 그 다음부터 내 산행은 거의 다 현대문명의 이기를 이용한 것이었다.

그리고 다시 지리산을 찾은 것은 그로부터 20년이 지난 후였다. 7년 동안 친구들과 거의 접촉 없이 살았던 나는 그즈음 겨우 막 외출을 시작하고 있었다. 무심히 기자 친구의 취재차에 올라타 지리산 어귀로 왔다. 서울은 깊은 겨울이었는데 희디흰 매화꽃이 바람에 나부끼는 것을 보자 꿈같았다. 그리고 나는 처음 버들치 시인의 집으로 갔다. 그 밤 우리가 마시는 소주잔 위로 매화꽃이 분분했고 매화 향기는 봄바람을 타고 쿵작작 쿵작작 삼박자로 우리 주위를 감쌌다. 그 집 황토방에서 자고 아침에 일어났을 때 매화나무는 햇살 아래 서서 나를 보고 환히 웃었다. 가슴 한편이 쓰라리기 시작했던 것은 내 상처가 꿈틀거리기 시작했기 때문이었을 것이다. 무감각을 넘어 통증을 느끼는 것이 치유의 시작이니까 말이다.

우선 이 글이 지리산을 오르락내리락한 사람의 이야기가 아님을 짐작하셨으리라. 다시 말해 지리산에 대한 글이 아니라 지리산을 등에 지고 섬진강을 내다보며 옹기종기 살고 있는 내 친구들과 그 이웃에 대한 글이니까 말이다. 원래 아무개의 뭐 뭐, 라는 식의

✿ 폭설 뒤 맑게 갠 하늘
아래 지리산

제목을 몹시 싫어하는 나이지만 그런 의미에서 이 글은 딱 '공지
영의' 지리산 행복학교가 맞다.

　많은 친구의 이야기를 쓰겠지만 편의상 신원을 다는 밝히지 않
을 것이고 어려운 이야기는 본인의 동의가 없는 한 각색될 것이다.
굳이 그들이 누군지 알려고 하지 않으시면 더 좋겠다. 다만 거기서
사람들이 스스로를 사랑하고 느긋하게 그러나 부지런히 살고 있다
는 것, 그래서 서울에 사는 나 같은 이들이 도시의 자욱한 치졸과

무례와 혐오에 그만 스스로를 미워하게 되려고 하는 그때, 형제봉 주막집에 누군가가 써놓은 시구절처럼, '바람도 아닌 것에 흔들리고 뒤척이는' 도시의 삶이 역겨워질 때, 든든한 어깨로 선 지리산과 버선코처럼 고운 섬진강 물줄기를 떠올렸으면 싶다. 거기서 정직하게 살고 있는 그들의 이야기가 혹여 잠시의 미소와 휴식이 되었으면 한다. 그들이 거기서 어떻게 돈 없이도 잘, 그것도 아주 잘, 살고 노는지 저와 함께 지켜보시기를. 어쩌면 행복은 생각보다 가까이 우리에게 다가올지도 모르니까 말이다. 아직 기미도 보이지 않으나 곧 닥쳐올 이 봄처럼 말이다.

©지리산 사진작가 강병규

✿ 노고단의 겨울

버들치 시인의 노래

노릇한 봄, 햇살 그으한 향…
슬픔을 앓은 시인은 손 가는 요리, 찻잔마다 정성을 다하는데…

지리산 동네를 통틀어 길이 막히는 곳이 딱 한군데 있다면 그건 바로 버들치 시인의 집일 것이다. 원룸 형태인 그의 집에 먼저 온 손님이 있으면 다음에 온 사람은 그 집 마당에서 기다려야 하는데 나 역시 그렇게 먼저 온 손님이 가기를 기다릴 때가 많았다.

서울 연립주택가도 아니고 좁은 골목에서 겨우 차를 빼주고 다음 사람을 위해 다시 그 집 마당에 차를 넣고 이토록 복잡한 주차를 해야 하는 곳이 지리산 자락에 그의 집 말고 또 있을까. 기다리다가 지친 내 화가 친구는 "은행에서 쓰는 번호표 발행기를 이 집에 선물해야 되는 거 아니냐? 조용히 그림 그리러 이 동네에 와볼까 했더니 일산 우리 집에서 전화기 꺼놓고 있는 게 제일 조용하겠구나" 할 정도였다. 가끔은 서울에서 못 보던 먼 문인을 마주치기도 했고 또 더러는 서울의 은근한 소문 거리를 여기서 듣기도 했다.

이렇게 사람들이 몰린 데는 그의 정갈하고 맛난 음식 탓도 있었

❀ 아직 덜 핀 매화 봉오리를 따서 찻잔에 넣으면 이렇게 활짝 피어 난다. 지난가을에 버들치 시인이 말린 곶감도 곁들였다.

다. 꽃 모양으로 당근을 깎고 갓으로 붉게 물들인 그의 동치미를 보고 있으면 너무 예뻐서 먹기가 아까울 정도니까 말이다. 친구 하나는 자기의 이상형을 안젤리나 졸리와 버들치 시인을 섞은 여 자라고 꼽았다. 버들치 시인이 왜 들어가느냐고 물으니 졸리는 버 들치 시인처럼 한국음식을 맛있게 만들 수가 없을 것 같아서라고 한다.

그러나 이 집에 사람이 몰리는 더 큰 이유는 그가 잘생겼다고 생각하는 여성들이 너무 많다는 데 있었다. 여자들의 구두가 댓돌에 놓여 있을 때, 혹시나 노총각 시인의 연애를 방해라도 할까 조심스러워 기다리던 내가 "누구야?" 물으면 버들치 형은 "몰라. 팬이래" 하고 말았다. 아마도 버들치 시인은 정말 사랑하는 사람이 생기면 한적한 자기 집 놔두고 서울이나 다른 도시로 가야 할 것 같다.

한번은 그의 집에 도착하니 한 여자가 걸레를 들고 시인의 방안을 쓸고 닦고 있었다. 솔직히 이 집을 드나드는 여성들 중에서 그렇게 조신하게 청소를 하는 사람은 본 적이 없었으므로—남성들 중에는 가끔 있다—나는 버들치 시인이 새 각시라도 얻었나 궁금했는데 외출했던 버들치 시인이 들어서더니 깜짝 놀라는 것이었다. 그 여성은 손에 걸레를 든 채 큰절이라도 세 번 올릴 듯한 자세로 입을 열었다.

"소녀는 서울서 온 아무개라고 하옵니다. 버들치 시인께서 이 산골에서 독거하신다는 말을 풍문으로 듣고 아침에 첫차를 타고 찾아왔사옵니다. 행여 수발을 들 소녀가 필요하면 지체치 말고 이 몸을 거두어 주옵소서"라는 투였다. 그러자 그는 이제 이런 일은 정말 지겹다는 듯 자리에서 벌떡 일어나는 것이었다.

"갑시다. 서울 가는 막차가 30분 뒤에 떠날 거니까."

여자는 울상인 채로 나를 돌아보았다. 첫차로 내려와 버들치 시인 집을 청소만 하고 막차로 다시 올라가야 하는 그녀의 처지가 딱

했지만 나로서도 속수무책이었다.

또 이런 일도 있었다. 그를 대놓고 따라다니던 과부가 그에게 전화를 했다. 그래도 여자였기에 그녀는 슬쩍 말을 돌렸다. "저기…… 버시인님, 아이 좋아하시죠?" 그 과부에게 여러 번 프로포즈를 '당한' 버들치 시인은 그 말이 무슨 뜻인지 금세 알아챘기에 대꾸했다.

"아이요? 아니요, 아이들 싫어해요. 끔찍합니다."

여자는 할 말이 없었다. 버들치 시인이 지나가는 마을 아이들만 보아도 머리를 쓰다듬고 작은 풀빵이라도 꼭 사준다는 것을 다 조사한 후였기 때문이었다.

"그럼 〈초원의 빛〉에 나오는 내털리 우드 같은 여자를 좋아하신다는 건 사실이죠?"

버들치 시인은 어떻게 대답할까 궁리하다가 내털리 우드를 좋아한다고 하면 거기에 한참 동떨어지는 용모를 가진 그녀가 이제 자신을 괴롭히지 않겠지 싶어 그렇다고 했다. 그러자 과부가 대답했다.

"저는 내털리 우드가 되어 워렌 비티처럼 잘생긴 버들치 시인님의 씨를 받고 싶습니다."

버들치 시인은 후다닥 전화를 끊었다. 혹시 자기가 '시'를 받고 싶다는 소리를 너무 오버해서 받아들였나 하는 생각에 자신의 무례를 후회도 다 하기 전, 그는 저 길 아래로 그 과부의 차가 올라오

❀ 버들치 시인이 사는
　소박한 집

는 것을 보았다. 놀란 그는 호미를 내팽개치고 방으로 들어가 문을 잠갔다. 장기전이 될 것 같은 예감에 받아 모아서 거름으로 쓰는 오줌통도 얼른 챙겼다. 문을 잠그고 안에서 숨을 죽이고 있는데, 차에서 내린 과부는 뜻밖에도 넓은 챙 모자에 원피스를 입은 한마디로 〈초원의 빛〉의 내털리 우드 패션이었다.

"아이, 버시인님 거기 계신 거 다 알아요. 어서 문 여세요."

그녀는 콧소리를 내어 이렇게 말한 후 챙 넓은 모자에 손을 대고 한 바퀴를 빙그르르 돌았다. 짧고 굵어서 그렇지 언뜻 보면 내털리 우드 비슷하긴 했다. 문틈으로 내다보며 시인은 진땀을 흘리고 있는데, 과부는 네가 보고 있는 줄 다 안다는 듯 한 번 더 포즈를 취한 후 자신의 작은 승용차 안에서 책을 꺼내더니 버시인의 툇마루에 앉아 읽기 시작했다. 그녀 역시 장기전에 대비해 온 것이었다. 그날 오후 내내 더운 방 안에서 오줌통을 끼고 진땀을 흘리던 시인은 깨달음을 얻었다고 했다. "피할 수 없으면 맞서라." 우리들은 그의 이야기에 배를 잡고 웃곤 했지만 정말이지 그는 정결이라도 맹세한 수도승 같았다.

도시의 잘나간다는 직장을 다니다가 어느 날, "내가 왜 여기서 이렇게 살고 있나?" 생각했고 "돈을 쓰지 않아도 되는 삶을 살 수 있다면 돈을 벌지 않아도 되는 것 아닌가" 하는 "너무도 쉬운 깨달음"을 얻고 산골로 들어왔다는 버들치 시인. 그는 봄이면 나물을 뜯어 말리고 손바닥만 한 밭에 자신의 오줌을 거름으로 주는 농사를 지으며 살고 있었다. 직접 농사지은 푸성귀 하나에 김치 하나 놓고 밥을 먹으며 이 싱싱하고 맛난 것을 혼자 먹는 것이 죄스러워, 한 줌도 안 되는 소출을 손수 접은 어여쁜 종이봉투에 담아 친구들에게 나누어 주었다. 혹여 독신인 자기가 죽기라도 하면 사람들에게 폐를 끼칠까 두려워 통장에 관 값 2백만 원을 넣어두고 어쩌다 조금이라도 거기서 넘치는 돈은 시민단체에 기부하며 그렇게 살고 있었다. 시인이라 미묘하고 복잡할 것 같지만 내가 보기에 그의 표정은 아주 단순하다. 통장의 잔고가 2백이 넘어가면 그는 느긋해지고 잔고가 그 이하로 내려가면 그는 안절부절 못한다. 그런 그가 한번은 강도를 당했다. 그의 지갑에 든 돈은 달랑 푸른 지폐 두 장. 어이가 없어 하는 강도를 보고(내가 보기에는 이 강도가 더 어이가 없다. 사람 보는 눈이 없어서야 원) 버들치 시인이 말했다.

"돈이 너무 없어서 거시기 하지요…… 여기 이거 카드인데 비밀번호 알려줄 테니 가서 다 꺼내요. 그게 내 관 값이긴 한데…… 당신도 죽지 못하니 이러겠죠. 오죽하면 이런 짓 하겠어요. 그리고 이건 우리 엄니가 나 장가 못 간다고 해준 금반지인데 요즘 금이 비싼지 어떤지 모르겠지만 가짜는 아니니……." 하고 금반지를 빼주었다. 그 얼치기 강도는(위협도 하지 않은 그를 강도라고 할 수나 있는지) 카드는 말고 금반지만 받아서 가버렸다고 했다. 그런데 그 강도도 안 가져간 관 값을 누군가가 그에게서 뺏어간 일이 생겼다. 지리산에 놀러와 묵은 그의 친구 후배의 사촌뻘 되는 사람이 그에게 사기를 친 것이었다. 사기의 자초지종을 듣긴 들었는데 워낙 버 시인의 말이 느린데다가 그것을 뭐 사기라고 할 수 있을까 생각이 들었다. 강도에게 금반지를 내미는 그를 사기 치는 일은 적어도 한국어만 할 수 있는 사람이면 누구나 가능한 일이 아닐까.

그런 시인은 내가 가면 가끔 토끼풀로 반지도 만들어주고 손수 덖은 차를 낼 때는 찻잔 옆에 자운영 꽃다발을 곁들여 내놓기도 한다. 그렇게 하면 좋잖아, 하고 그는 말한다. 헛간 장작더미 위에 산

새가 둥지를 틀고 알을 낳았다고 겨우내 그 장작에 손을 못 댄 채 그 겨울을 꼬박 냉방으로 지낸 사람. 그를 보고 있으면 2~3세기 기독교가 공인된 이후 거대해지고 권력화된 종교를 피해서 사막으로 간 교부들을 떠올리게 된다. 얼굴도 마음도 키도 피부도 모두 다른 우리를 똑같은 인간으로 찍어내기 위해 혈안이 된 도시에서 그 누구도 아니고 오로지 내 자신이 되고자 하는 싸움은 사실은 어쩌면 세상에서 가장 치열하고 힘겨운 전쟁이다. 도시에서 버들치는 타고난 그대로의 고유한 그일 수가 없어서 이리로 왔을 것이었다. 지리산은 그 모든 골짜기 구석구석마다 다른 빛깔로 각기 다른 사람들을 품고 있으니까 말이다. 그리고 어쩌면 생명으로 충천한 이 지리산과 섬진강가에서 생명을 잉태하고 싶은 여성들이 너무도 자기 자신의 고유함을 간직하고 있는 그런 시인을 알아보는 것은 당연한지도 몰랐다.

아침 햇살에 희게 빛나는 매화가 눈부셔서 마당을 서성이고 있는데 버들치 시인이 툇마루에 나와 앉아 담배를 물었다.

"적적할 텐데 강아지라도 한 마리 키우지?" 내가 묻자 그가 빙그레 웃었다. 그러고 보니 그의 얼굴이 희고 단아한 매화를 많이 닮았다는 것을 나는 그때 깨달았다. 그는 예의 그 느린 어투로 대답했다.

"정…… 주기 무서워…… 안 키워." 매화처럼 희고 섬세한 그의 실루엣이 파르르 떨렸다. 나도 입을 다물고 말았다. 그는 매화나무

아래 돗자리를 폈고 손수 덖은 차를 끓였다. 친구들이 차는 간이
싱겁다며(?) 어제 남은 소주를 내왔다. 아직 덜 핀 매화 봉오리를
잔에 넣자 순식간에 매화가 그 속에서 피어났다. 우리들 입에서 작
은 탄성이 나왔다. 흰 매화 꽃무리 위로 봄 햇살은 노릇하게 익어
가고 멀리 푸른 섬진강이 젖빛 백사장을 어루만지며 꿈틀꿈틀 흐
르고 있었다. 나는 그때 얼마 전 읽은 책의 한 구절을 떠올렸다.
"우리의 욕망은 너무도 획일적이다. 좋은 학벌, 많은 돈, 넓은 집.
우리는 이제 다양하게 욕망하는 법을 배워야 한다."

　나는 매화꽃 피어난, 찻잔인지 술잔인지를 입술에 대었다. 술과
꽃의 향기가 버무려진, 이루 말할 수 없이 그윽한 향의 액체가 내
목을 타고 넘어갔다. 그 순간 나는 내 모든 처지를 잊고 세상에서
제일 행복한 사람이었다. 술잔을 입에서 떼는 내 친구들의 얼굴도
그랬다. 그렇지 않다면 한 수다 하는 그들이 그렇게 조용했을 리
없으니까.

낙장불입 1

절망이 데려간 곳…
빨치산의 땅, 그리고 아버지의 땅
산 자의 운명을 알 도리가 없으니…

1997년 12월을 기억하시는지. 그해 대한민국은 IMF 구제금융을 겪어야 했고 기업들은 잡초 뽑듯이 약한 이들을 솎아버렸고 60년대 경제개발이 시작된 이후 처음으로 사람들은 어제보다 못사는 내일이 온다는 것을 알았으며 대한민국 대표 사형수였던 사람이 대통령에 당선되어 국민의 정부를 열었다. 일찍이 시인으로 화려하게 등단하고 서울의 큰 신문사 기자가 되어 출세한 촌놈의 대표선수로 뽑혔던 낙장불입 시인은 그해 겨울이 끝날 무렵 서울역 노숙자들 틈에서 깨어나 남행열차에 몸을 실었다. 그렇게 화려한 10여 년의 세월이 가고 그는 이제 다시 서울이 뱉어버린 실패한 촌놈의 대표선수가 되어버렸던 것이다. 그의 수중에 있던 돈은 50만 원. 그해가 다 가기 전 그는 한평생 한국사의 질곡을 온몸으로 겪어낸 어머니를 잃었고 직장에서 쫓겨났고 아내와 아이들과 이별을 했고 그리고 완전히 혼자가 되어버렸다.

　아직까지도 나는 그때 그 기차에 오르면서 그가 겪었을 마음의

❖ 경남 하동 화개장터에서 쌍계사를 지나 법왕리 신흥마을에 이르는 지리산 자락에는 드넓은 야생 차
밭이 펼쳐져 있다. 전남 보성 차밭처럼 가지런하지는 않지만 소박하고 넉넉한 아름다움이 있다.

아픔을 짐작조차 할 수 없다. 누군가 다가와 멱살을 잡고 "야 인마
여기서 나가!" 하면 차라리 홀가분했을까. 그 모든 나쁘고 절망적
인 일들이 그렇듯 내 편일 것이라고 믿어 늘 다정히 대했던 사람들
이 그를 배신하고 혹은 침묵하고 혹은 눈짓으로 지목하여 그는 거
의 회복이 불가능할 정도의 상처를 입었다. 그는 그 남행을 두고
"생애 처음으로 이 모든 것들로부터 무책임해지는 길이었으며, 분
노와 환멸과 절망과 투쟁으로 점철된 삶을 산 짐승이 마지막으로
가야 할 길"이었다고 표현했지만 말이다.

"왜 하필 지리산이었어?" 아주 오랜 시간이 지난 후 내가 묻자 그는 한동안 그냥 웃기만 했는데, 어느 날 작은 술잔을 앞에 두고 처음 입을 열었다.

"고향인 경상도 쪽에는 가고 싶지 않았고 도시는 싫었고……. 그리고 아버지의 흔적을 좀 찾고 싶었어."

초등학교 5학년 때 그는 반공 표어를 지어 대구까지 나가 큰 상을 받는다. '오랜만에 오신 삼촌 간첩인가 다시 보자.' 우리들도 언젠가 한 번은 들었을 이 표어는 바로 낙장시인의 작품이었는데 대구뿐 아니라 전국 곳곳에 붙어 나부끼었고, 그는 상장을 들고 의기양양 집으로 뛰어들어왔다. 언제나 그를 꼭 안아주며 사랑해주던 어머니의 얼굴은 그러나 기뻐하는 그 앞에서 아주 어두워졌다. 그는 그때부터 새벽마다 어머니가 일어나 정화수를 떠놓고 비는 모습을 보게 되었다.

그의 어머니는 그의 위로 남매 둘을 낳고 남편을 잃었다. 아버지가 빨치산 전사 이현상을 따라 산에 들어가버린 것이었다. 수시로 경찰이 그의 집으로 들이닥쳤고 아니면 어린아이들을 집에 놔두고 어머니는 시도 때도 없이 끌려갔다. 그런데 빨치산이 모두 '토벌된' 이후인 63년 그의 어머니는 낙장불입 시인을 낳는다. 경북의 보수적인 산골 집성촌에서 아비 없는 아이를 낳은 여인과 그의 새끼들이 당한 고통을 짐작할 수 있으신지. 일가붙이에게 화냥년이라고 머리채를 잡혀 온갖 수모와 고통을 당하면서도 어머니는 아기 아버지에 대해 한마디도 입을 열지 않았다. 입산한 뒤 죽은 걸로 되어 있던 남편이 살아서 다녀갔다고 하면 새로 태어난 아이는 물론 위로 두 남매마저 죽음을 면치 못할 것이기 때문이었다.

그리하여 그렇게 낙장시인이 다 클 때까지 어머니는 스스로 자청한 주홍글씨를 가슴에서 떼지 않았다. 대신 늦게 태어난 낙장시인을 끔찍이 사랑했다. 그런데 그런 시인이 큰 상을 타온 날 어머니는 세상에 태어나 가장 슬픈 얼굴을 그에게 보여준 것이었다. 그리고 그에게 한 얼굴이 겹쳐졌다. 여섯 살 무렵이던가 장에 나간 어머니를 기다리며 빈집을 지키던 어린 그에게 다가왔던 한 남자. 이름을 묻고 머리를 쓰다듬어주고 품에서 아주 작은 선물을 꺼내주던 사람. 그 사람이 낙오된 빨치산으로서 고향으로 돌아오지 못하고 탄광에 들어가 이름을 바꾸고 죽어갔던 아버지라는 것을 안 것은 아주 오랜 후라고 했다. 그리고 그때가 바로 아버지가 탄광에서 얻은 진폐증으로 죽어가기 직전이었다는 것도. 어머니를 묻고 새로 이룬 가족을 잃고 그리고 직장에서마저 쫓겨난 그가 아버지의 흔적을 찾아 지리산으로 온 것은 그러니 너무 당연한 일인지도 몰랐다.

그는 누군가 버리고 간 쓰러져가는 초가삼간에서 삶을 시작한다. 그곳에서 그는 "밥을 주면 밥을 먹고 돌을 던지면 돌을 맞으며" 첫 3년을 버틴다. 그는 그 3년 동안 굶어 죽지 않은 것이 기적이라고 했지만 나는 안다. 그곳이 지리산이었기에 가능한 일이었

✤ 낙장불입 시인은 이따금 섬진강변에서 야영을 한다. 낡은 오토바이가 그의 벗이다.

다는 것을. 그리고 가끔 그에게 편지가 왔다.

"두 끼를 굶었어. 지난밤에는 피아골의 나무가 소식을 보내왔지. '나 절정이야. 혁명도 없이 희망도 없이 내 몸은 곧 절정이야…….' 밤새 단풍나무 벗 삼아 게임 고스톱을 치다 보면 낙엽들이 '낙장불입, 낙장불입' 하고 떨어지네……. 때 이른 단풍 하나 주우려다 보니 인생이 낙장불입인 거 같아……. 생각해보면 길을 잃었다고 뭐가 그리 대수일까, 잃어버렸다고 헤매는 그 길도 길인 것을."

"추석 직후에는 빨치산 총수 이현상이 죽은 빗점골에서 다래를 따와 술을 담갔어. 언제나처럼 술병에 날짜와 이름을 써넣었지. 그리운 이들, 선배 문인들, 술친구들, 한 하늘 아래 살고 있다는 사실만으로도 나를 행복하게 하는 이들. 혹은 악연이었던 그 사람들…… 그들은 이 사실을 모르고 알 필요도 없지만 그래도 술은 익어가고 내가 그들을 까맣게 잊은 날에도 술은 익어갈 것이며 나혼자 그리움에 절절매더라도 술은 익어가겠지."

그 편지들을 읽고 나도 울었다. 누가, 세상의 가을 앞에서 그리움에 절절매고 있다는 표현을 이처럼 감히…… 쓸 수 있을까.

지금 다시 떠올려도 마음이 아픈 이 글을 읽었던 동갑내기 동료인 나도 그러나 그 무렵 내 생의 깊고 어두운 골짜기를 통과하고 있었기에 우리는 서로 만나지 못했다. 그러던 그가 서울에서부터 품고 내려간 돈 50만 원으로 장만한 것이 있는데 그것은 바로 125cc짜리 낡은 중고 오토바이였다. 그는 그것을 타고 지리산 언저리를 누볐다. 많이 자고 많이 멍했고 안주도 없이 오래 혼자 술을 마셨고 그리고 오토바이에 시동을 걸었다. 노고단 꼭대기를 하루에 두 번 오른 날도 있었다. 그러던 그가 다시 중생들에게 돌아오는 계기는 그러나 뜻밖의 사건으로 시작되었다.

그가 밥을 대놓고 먹는—그러나 이것도 일주일에 서너 번 정도였다. 나머지는 그냥 소금을 넣은 주먹밥이나 라면으로 연명했다고—밥집이 있었다. 이 주인 할머니는 밥 인심이 후해서 군인들이나 행색이 초라한 사람들에게는 공깃밥 값을 따로 받지 않고 몇 그

룻이고 더 퍼주곤 했다. 워낙 말이 없던 그가 어느 날 국밥을 먹고 있는데 주인 할머니가 시키지도 않은 막걸리 한 병을 들고 슬며시 그의 옆에 앉았다. 그런 일은 처음이라 그가 의아해하자 할머니가 결심한 듯 그를 향해 손을 내밀며 말했다고 했다.

"선상님 인자 그만하면 공부 많이 하신 것 같은디, 손금 좀 봐주셔."

그는 그제야 머리와 수염이 잡초처럼 자라나 있고 비쩍 마른 몸뚱이가 누가 봐도 도를 닦는 산사람의 몰골이라는 것을 알았지만 어떻게 할 수가 없었다. 자신은 그런 사람이 아니라고 하자 할머니는 눈물지으며 다시 말했다.

"선상님 도가 너무 높으셔서 아무한테나 말씀을 안 해주시는 모냥인디 그라문 우리 아들놈 사람 좀 만들어주씨요 잉. 그 화상이 허라는 짓은 안 허고 날마다 놀러만 댕기는디, 지난 가실에는 군불 때게 낭구 좀 해오라고 했더니 집 마당의 20년 된 흑감나무를 베어 땔감을 만들었잖요. 그 베라먹을 놈이."

남편도 없이 아들 하나만 믿고 살아온 할머니는 시인 주려고 내온 막걸리를 당신이 꿀떡꿀떡 마시며 울었다. 딱했지만 어쩔 수 없다는 생각에 낙장시인이 우물거리자 할머니가 다시 말했다.

"그럼 우리 아들놈 한글이라도 갈켜주씨요 잉. 한글이라도 알아야 사람 구실을 허지 않겠소."

버젓이 운전면허 따서 운전까지 하고 다니는 그가 어떻게 문맹

일 수가 있을까 싶었는데 낙장불입 시인은 다음날 그 아들을 길에서 만났다. 그냥 눈에 띄는 대로 전봇대에 붙은 '불조심'이라고 쓰인 표어를 가리키며 그가 물었다.

"여기 뭐라고 쓰여 있는지 한번 읽어볼래?" 그러자 서른이 다된 아들은 거만한 표정으로 표어를 읽었다. "전, 봇, 대!"

이래저래 그의 인생에 표어가 중요하긴 한가보다. 그래서 그의 삶은 그때부터 지리산 자락의 사람들 속으로 조금씩 스미기 시작한다.

❖ 겨울 억새가 마지막 빛을 발하고 있다.

낙장불입 2

운명이 멈춰선 곳, 나를 안아준 지리산
혼자가 아닌 세상, 다시 세상과 소통하다.

한 2년 정신분석을 받은 일이 있었다. 내가 사람으로 인해 병들고 상처 입었다고 생각해서 시작한 일이었다. 그때 나는 배웠다. 사람에게 입은 상처는 그 사람에게 다시 상처를 되돌려줌으로써가 아니라, 다른 사람을 사랑하는 일로만 치유된다는 것을 말이다. 아니 꼭 사람이 아니라 해도 생명을 기르고 사랑하는 일이 치유의 길이라는 것을 말이다. 바둑에 골몰하거나 개를 기르거나 축구 혹은 나무 키우기에 미쳐버린 사람에게 중독이라는 말을 쓰지 않는 이유도 같을 것이다. 함께하는 생명이 있으면 그건 좋은 일이다. 중독이라는 말은 인간이 생명이 없는 존재에게 집착하는 일을 일컫는 것, 그것이 게임이든 약물이든 술이든 돈이든 권력이든 혹은 상대가 원하지 않는 그런 사랑이든 말이다.

'외롭고 높고 쓸쓸한' 삶을 살고 있던 낙장불입 시인에게도 그런 치유의 시기가 다가온다. 밥집 할머니의 아들에게 한글을 가르치면서 그는 지리산 자락에서 조금씩 알려지기 시작했다. 오토바

✤ '외롭고 높고 쓸쓸한' 삶을 살던 낙장불입 시인은 지리산에서 세상과 소통하기 시작했다. 시인(우)이 2008년 한반도 대운하 건설에 반대하는 도보 순례단 '생명의 강을 모시는 사람들'과 걷고 있다.

이를 타고 다니는 특이한 모습도 한몫을 했을 것이다. 그러던 어느 날 초로의 한 남자가 다가와 조심스레 말을 걸었다. "혹시 낙장불입 시인 아니십니까?" 그는 그렇다고 대답했다. 초로의 남자는 반색을 하며 대꾸했다. "선생님이 쓰신 책 때문에 제 인생이 바뀌었습니다. 괜찮으시다면 제가 술 한잔 꼭 대접하고 싶습니다."

놀라운 일이었다. 이 산골에서 그를 알아보는 것도 모자라 그가 쓴 책으로 인해 인생이 바뀐 사람이 나타난 것이다. 그의 머릿속에서는 그간 발간한 시집의 제목들이 재빨리 지나갔다. 그간 돈 안되고 명예도 없는 시를 써온 것이 이토록 뿌듯한 순간도 없었다. 하지만 시인 체면에 쑥스럽게 그 시집이 뭐였죠라고 묻지는 않았다. 그렇게 감동스러운 술자리가 한 시간쯤 이어졌을 무렵 초로의 남자는 그곳 사람들을 하나 둘 불러냈다.

"자네 인사드리게. 낙장불입이라는 분이셔.《육담》이라는 명작의 저자이시지." 요즘 아이들 말로 '뭥미' 적 사태였다.《육담》이라면…… 그건 그가 기자 시절 팔도를 돌며 채집한 전래 음담패설 연재를 묶은 책이었다. 아마 부제가 '팔도 음란서생들의 남녀상열지사'였을 것이다. 눈앞에서 그를 존경의 빛으로 바라보고 있는 이 초로의 신사는 그 책으로 자신의 인생이 바뀌었다고 한다. 어떻게……? 그는 슬그머니 그 자리에서 도망칠 수밖에 없었으나 그 후로도 여러 번 그 훌륭한 책,《육담》의 저자 아니신가, 하며 그를 반기는 사람들에게 둘러싸여 술을 마셔야 했다. 어쨌든 그는 사람들과 소통을 시작하긴 한 것이다.

그 무렵 수경이라는 사람이 그를 찾는다는 소식이 여러 경로를 통해 그에게 전달되었다. 실상사 근처 선방에 있다는 정보도 함께였다. 수경이라니, 대학 때 잠깐 만났던 여자인 것 같기도 했다. 지리산 자락에서 굳이 또 다른 인연을 만들고 싶지 않았던 그가 연락을 반겼을 리는 없었다. 얼마 후 그는 서울 조계사에 들렀다가 수경이라는 사람이 지금 그를 만나기 위해 그곳에 와 있다는 연락을 받았다.

어여쁜 여자를 생각하며 방문을 열자 두꺼운 안경을 쓴 중년의 스님이 앉아 있었다. 스님은 말없이 잔을 두 개 꺼내놓고 품 안에서 부스럭부스럭 무언가를 꺼내 찻잔에 탔다. 당연히 차라고 생각한 그는 스님이 내미는 잔을 들어 마셨다. 입 안에 흙탕물이 가득 번졌다. 삼키지 못하고 기침을 하는 그가 의아하게 바라보자 수경 스님이 말했다.

"지리산에 의탁해 사는 사람이 지리산 흙 맛도 모르나? 도법이라는 실상사 주지가 나를 꼬드겨 선방에서 나온 지 두어 달 되었네. 지리산을 살려야겠네. 함께해주게." 수경 스님은 그 자리에서 실상사에 전화를 걸었다. "내일부터 일꾼 하나가 이사 갈 테니 방 하나 치워놓게."

막대기로 탁, 쳤더니 순간 깨달았다는 선사들의 이야기처럼 그렇게 단순하게 다음날 그는 오토바이에 그의 전 재산을 담은 박스를 하나 싣고 실상사 뒷방으로 이사 간다. 아마도 그는 그렇게 시작된 일이 지리산 살리기 도보순례, 낙동강 살리기 도보순례, 지리산 살리기 생명운동, 새만금 살리기 삼보일배, 생명평화 전국순례, 생명평화 오체투지순례 등 2만5천 리를 걷는 10년에 걸친 장정으로 이어질지 몰랐을 것이다. 하기는 아마 수경 스님인들 그걸 미리 아셨을까. 그리고 이것이 10년째인 올해 끝나기는 할까. 이럴 때는 우리가 미래를 모른다는 사실이 차라리 다행스럽다.

힘들지 않아? 순례에서 돌아온 그에게 내가 바보같이 물으면

❖ 2004년 생명평화 탁발순례에 나선 낙장불입 시인(우). 뒤로 도법·수경 스님과 버들치 시인도 보인다.

그는 대꾸하곤 했다. "생명 평화 이제 말만 들어도 지겨워. 생명이라는 말로 수경 스님이 전화하시면 팍 죽고 싶어. 평화 집회라고도법 스님 전화하시면 마누라랑 막 싸우고 싶다니까…… 하하."

그는 정말로 힘들다는 듯 농담을 했지만 다음날 또 수경 스님이나 문규현 신부님의 오체투지 행렬에 깃발을 들고 서 있다. 나도 가끔 그 행렬의 곁에 가보면 낙시인은 스님의 상한 무릎과 문 신부님의 부르터진 발을 만져드리다가 가슴이 아파서 밥도 못 먹고 눈물을 흘리며 걷는다. 이런 사람들 때문에 잘 먹고 잘살기만을 추구하던 나는 평화를 잃고 괴로워진다.

낚시인이 이렇게 나의 평화를 깨는 일에 앞장서는 데는 새로 만난 그의 각시도 큰 몫을 했다. 외로운 남녀가 서로 눈 맞아 사랑을 시작하는 일이란 게 그리 쉬운 일은 아니란 걸 7세 이상인 사람은 알 것이다. 역시 시인에게 다시 사랑은 오고 사랑이 오자 시들이 쏟아지기 시작했다.

"행여/ 이승의 마지막일지도 몰라/ 그저 바람이 머리칼을 스치기만 해도/ 갈비뼈가 어긋나고// 마른 갈잎이 흔들리면/ 그 잎으로 그대의 이름을 썼다"

소설가의 연인이 되면 코 후비는 버릇이나 실수한 이야기가 공개될 확률이 높은데 시인의 연인이 되면 이런 대접을 받는다. 바람이 머리칼을 스치기만 해도 갈비뼈가 어긋나다니……. 이 시의 뒷부분은 한술을 더 뜬다.

"별자리들이 그대의 이름으로 바꾸어 앉는 밤…… 복숭아뼈에 새겨진 그 이름"

시만 읽으면 좋은데 시인과 그 부인을 알고 읽으면 슬그머니 부럽고 얄밉다. 게다가 그 부인의 이름은 별자리의 이름으로 불리기에는 너무 평범한데…… 험!

그의 각시가 된 고알피엠(高RPM) 여사는 그저 문학을 좋아하는 아줌마였다. 나중에 고백한 바에 의하면 소설가가 되고 싶어서 점

집을 찾았다 한다(듣다 보니 이 대목이 이상하긴 했다. 소설가가 되려면 문학창작 교실에 가야 할 텐데). 그랬더니 용하다는 그 점쟁이 왈. "소설은 말고…… 그냥 에세이를 쓰지!" 아무튼 대학원 선생을 따라 실상사에 다니러 왔다가 낚시인과 사랑에 빠진 그녀는 나중에 낚시인이 실상사를 나와 섬진강가에 거처를 마련하자 그곳으로 그를 찾아왔다. 그날 마침 낚시인의 집에는 서울서 내려온 동료 문인들이 잔뜩 모여 있었다. 남자들이 우글거리는 집으로 들어갈 용기가 나지 않았던 고알피엠 여사는 낚시인을 불러 서울서 손수 마련해온 것을 건넸다. 고운 이부자리였다. 언젠가 낚시인의 거처에 낡아빠진 담요 몇 장만 뒹구는 것을 보고 가슴이 아파서 지리산에 다니러 오는 길에 들렀다고 했다. 멀리서 창문으로 이를 바라보던 소설가가 한마디 했다.

"저 여자 누구야? 요새 지리산에서는 여자들이 연장을 손수 지고 다니나?" 그로부터 낚시인의 각시가 된 고알피엠 여사는 이불 때문에 톡톡히 곤욕을 치른다. "결국 그 이불 덮고 같이 살자는 말이었지?" 사람들은 세세연년 버전을 바꾸어 두 사람을 놀려대고 낚시인은 그냥 웃기만 하는데 평소에 웬만큼 걸죽한 농담에는 눈 하나 깜짝하지 않는 대범한 고여사는 이상하게도 그때마다 펄쩍 뛴다. 우리의 추측이 진실임을 입증하는 순간이다.

그렇게 살림을 차리고 지리산 꼭대기 외딴 집에 연세 50만 원짜리(월세가 아니고 연세이다) 독채 세를 얻은 그들은 새로운 삶을 시작했다. 그 집은 '피아산방'이라고 한글로 적혀 있어서 피아골의 피아인지 너와 나의 피아인지 모르지만 어쨌든 그 집에는 너 나 할 것 없이 사람들이 드나들기 시작했다. 그곳에는 보통 도시에서 통용되는 '거주자 우선 지불의 원칙' 대신 '객 우선 지불의 원칙'만이 통용된다. 한번은 걱정이 된 내가 "손님 이렇게 오는데 생활비는 다 어떻게 해?" 하고 물으니 원앙이 수놓인 이불을 선물해놓고도 "그건 순전히 불우이웃에 대한 연민이었다"고 주장할 만큼 태평한 고알피엠 여사는 "응 그거야 뭐, 손님들이 가져온 안주가 늘 남아서 손님들 가면 그걸로 반찬 해먹고, 그거 떨어질 때쯤이면 또 다른 손님들이 오는 걸 뭐." 하는 것이었다.

한번은 저녁에 먹을거리가 마땅치 않아서 우리가 어떻게 할까 망설이고 있는데 그는 오토바이를 타고 휑하니 사라졌다. 잠시 후, 그는 민물고기가 잔뜩 든 작은 바구니를 들고 돌아왔다. 그새 개울에서 투망을 한 것이었다. 그날 우리는 그의 집 텃밭에서 깻잎을 따서 매운탕을 끓이고 그래도 남은 물고기는 튀겼다. 매운탕에 약간 비린 맛이 돌아 내가 걱정을 하자 그가 다시 말했다. "걱정마." 잠시 후 그의 손에는 적당량의 방아 잎이 들려 있었다. 물론 힘들고 지칠 때 그를 떠올리는 것은 나만이 아니다. 친구들은 한술 더 떠서 서울에서 어떻게 처리가 안 되는(?) 사람들을 그리로 보내기도 한다.

한번은 대학에 재직하고 있는 한 시인이 제자의 방황을 보다 못해 그녀를 그에게로 보냈다고 한다. 청춘을 바친 연애를 슬프고 나쁘게 끝낸 여자였다. 그는 '거주자 우선 지불의 원칙'을 하는 수 없이 지키며 없는 돈에 술도 사먹이고 달래도 보았지만 그녀는 사흘이 지나도록 울기만 했다고 한다. 남자라면 한 대 때려도 보겠지만 젊은 여자라서 어떻게 해볼 수도 없었던 그는, 어느 날 그 비싼 오토바이 뒷자리에 그녀를 태우고 지리산 꼭대기로 올라갔다고 한다.

섬진강변에는 벚꽃이 흐드러지게 피는데 산 위의 날씨는 아직도 겨울, 마침 갑자기 하늘이 캄캄해지더니 눈보라가 몰아쳤다. 아무리 실연을 당한 끝이라 죽고 싶다, 라는 말을 입에 달고 있었던 그녀도 막상 산꼭대기에서 날이 캄캄해지고 눈보라가 몰아치니 두려웠던 모양이었다.

"죽고 싶다고 했죠? 여기가 참 죽기 좋은 곳이에요. 사람도 없고 발견될 염려도 없어요. 눈이 다 녹으면 내가 사람들을 데리고 와서 시신 수습을 해줄 테니 그것도 염려 마쇼. 난 이제 내려갈 테니, 그럼 안녕히!"

그가 오토바이에 시동을 걸자 죽고 싶다던 그녀의 안색이 변하며 그에게 달려들었다고 한다. 제발 살려달라고 말이다. 그는 느긋하게 그녀에게 살기 위해 해야 할 일을 알려주었는데 그건 바로 동요를 부르는 일이었다. 그녀가 놀라자 그는 태연히 다시 시동을 걸었다. 그러자 그녀는 다시 그에게 매달렸고 그는 어서 동요를 부르라고 했다. 그것도 노고단 봉우리를 향해 크게!

그녀는 결국 산 정상의 날씨보다 모진 그 앞에서 동요를 스무 곡이나, 그것도 목청껏 부르고 살아 내려왔다는 이야기였다. 그렇게 그가 살려낸 사람이 얼마나 될까? 그래서 그의 집에 가면 벽마다 규칙들이 붙어 있다. 이제는 서울에서 오는 사람들을 맡기도 힘들어서 사람들이 몰려오는 여름철에는 아예 짐을 싸가지고 아내와 둘이 다른 곳으로 피신하기 때문이다. 그 메모에는 콘도미니엄처럼 집 안의 기기 사용법과 청소법들이 자세히 적혀 있다. 그리고 그 밑에는 이 말도 덧붙여 있다.

"편안히 지리산 품에서 쉬시다가 가십시오. 불륜관계, 특히 환영!"

그러나 세월은 그에게 그렇게 금빛 시간만을 주는 것은 아니었다. 낚시인은 고여사에게 모든 것을 맡기고 자주 순례를 떠났다. 남편을 돕기 위해 운동의 운 자도 모르던 고여사는 이제 지리산 일대의 유명인이 되었다. 얼마 전 이야기 끝에 물어보니 높은 알피엠답게 직함이 일곱 개란다. 다 생명, 평화 뭐 이런 골치 아픈 일일 것 같아 내 일신의 소소한 생명과 평화를 지키기 위해 나는 더 물어보지 않았다.

이명박 정부가 들어서고 이런 운동에 앞장서는 스님들과 신부님들에 대한 정부의 대응은 한결 각박해졌다. 한번은 스님과 신부님들이 모여 있던 자리에 서울 모처에서 누가 찾아왔다. "고매하신 분들 두루두루 몸조심하십쇼. 여자문제며 이런 거 저희가 다 조사 들어갔습니다." 옆에서 이 이야기를 듣던 한 신부님이 격노하셨다. "이런 나쁜 놈들이 있나. 여자문제가 어쩌고 어째? 설사 그런 일이 있었다고 치자. 너희 놈들은 마누라하고 날마다 하면서 혹시 여기 계신 분들이 평생 한두 번 한 걸 걸고 넘어진다고? 이 치사하고 나쁜 놈들!!"

그러자 거짓을 참지 못하는 낚시인이 신부님 곁에 가서 말했다. "신부님, 아무리 그래도 틀린 말 하시면 안 됩니다. 결혼했다고 날마다 하는 거 아니에요." 사람들은 웃음보를 터뜨리는데 스님과 신부님들은 진지하게 낚시인에게 물었다. "정말?"

40년 山사람 함태식 옹

.
.
.

작은 일도 지극해지면 생명을 살리는 등불이 된다.
장명등, 그것이 그의 삶이었다.

지리산에 대한 글을 연재한다는 소문이 솔솔 퍼지자 친구들이 지리산의 아름다운 사진들을 보내오기 시작했다. 주로 정상에서 찍은 것인데 겨울 것이든 여름 것이든 감탄스러웠다. 어떻게 산봉우리들이 파도처럼 밀려들고 있을까. 멋있다, 하니까 친구들은 살살 나를 꼬드긴다. 이제 산에 올라 네 눈으로 직접 보라고. 나로 말하자면 산이라면 내셔널지오그래픽 다큐로 다 끝냈다고 생각하는 사람이라 "난 그렇게 살지 않았다" 하면 친구들은 "아이고 그래 너 잘났다. 술이나 따라라" 한다. 산에 대해 내가 이상한 선입견을 가지고 있다고 생각하는 분도 있으시려나? 하지만 일전에 어떤 모임에서 새해 소망을 이야기하는, 아주 건전하고 다소 민망한 순서가 있었는데 조국 교수는 올해 소망을 산에 좀 덜 가는 것, 가더라도 뛰어 올라가지 않는 것, 이란 대답으로 좌중을 잠시 침묵하게 만들었음은 물론 전례 없는 보충질의까지 받았다. "뭐라고요? 덜 입니까 더 입니까? 뭔다고요?" 그때 나는 조 교수보다는 내가 사람들을

❖ 함태식 옹

❖ 지리산 지킴이 함태식 옹은 산 아래의 삶에 익숙지 않다. 하여 저잣거리에 내려갈 때면 귀마개를 한다. 무수한 소음과 그 소음이 낳는 번잡함에서 자유로워지기 위해서다.

좀더 맘 편하게 해주는 사람이라는 자부심을 가지게 되었다.

그런데 그 산을 뛰어다니는 것은 물론이고 물결치듯 밀려오는 그 산맥의 파도 위에 작은 조각배 같은 대피소를 짓고 거의 40년을 산 사람이 있다. 노고단 산장을 열고 피아골 대피소를 지킨 함태식 옹이다. 지리산 지킴이라고 해서 대학 때 본 《채털리 부인의 사랑》에 나오는, 도끼로 장작을 패는 근육질 남자가 나이 든 모습을 상상했는데 영 아니었다. 뭐랄까 그분에게는 아주 독특한 분위기가 풍겨나오고 있었는데 한참 후에야 나는 그것이 지리산의 그 능선들과 닮았다는 것을 알았다. 섬세하나 강직하고 부드러우나 꼿꼿하며 풋풋하나 육감적인, 술을 하도 좋아해서 그는 한때 이런 노래까지 지었단다.

'아침 술 한 잔은 식욕을 늘리고/ 아침 술 두 잔은 체력을 강하게 한다/ 아침 술 석 잔은 일삼오칠구 하니 불가피하고/ 아침 술 넉 잔은 집안일을 잊게 한다/ 일삼오칠구 하니/ 아침 술 다섯 잔은 마땅하고/ 아침 술 일곱 잔은 좋으며/ 아침 술 아홉 잔은 넘지 말아야 한다/ 저녁 술은 양에 한도가 없도다'

생각해보니 약간 양심들은 있어서(?) 이런 합리화용 노래가 필요했나 보다. 그리고 필요는 발명의 어머니가 되어 술도 직접 담가 신선주라 이름했다고 하는데 이 강적 뒤에는 한술 더 뜬 도사님이 계셨다. 한번은 술이 익었는지 아닌지 확신이 서지 않는 함 선생이 전화를 걸어 "어이 낙렬이, 이제 때가 됐는데도 독에서 영 끓지가 않는구먼!" 하자 유낙렬이라는 애주가는 "그라요? 어째 그럴까 잉?" 하고 잠시 생각하다가 "그라믄 내가 가볼 시간은 없응게 수화기를 술독에다 넣어보쇼" 했단다. 긴가민가하면서 하라는 대로 하니 독 안에서 소리가 들렸다……. "술이 끓는디! 소리 괜찮은 디! 아주 잘 끓능만요!" 이쯤 되면 그야말로 신선의 경지가 아닌가. 우리나라 사람들이 손가락 감촉만으로 병아리 감별을 잘해서 세계적으로 유명하다 하고, 전용 연습장 하나 없이도 피겨스케이팅에서 금메달을 따고 동양인은 어렵다는 스피드스케이팅에서도 세계 최고에 오르고, 이렇게 똑똑하고 신통한 국민들을 모시고 정치를 요 모양으로만 안 해도…… 아니다 정치 이야기는 그만하자.

여기는 행복학교. 험!

노고단 산장을 처음 열고 홀로 지내는 겨울, 그는 별 생각 없이 산장으로 들어갔다. 평균 온도 영하 20도, 평생 처음 고독, 추위와 싸우다 그만 폐가 터져버려 큰 수술을 받았다. 그가 지리산에 입산한 것이 1972년, 그의 나이 마흔이었다고 했다. 요즘 마흔은 운 좋으면 애기 취급을 받는 청년일 수도 있지만 그때 마흔은 달랐을 것이다. 환갑잔치가 호텔과 음식점의 주요 수입원일 때니까 말이다. 그 나이에 모든 걸 훌훌 던지고 산으로 오른 이유를 묻자 그가 대답했다.

"좋아서!"

박정희가 쿠데타로 집권한 후 그는 하루에 세 갑씩 피우던 담배를 끊었다. "그놈이 뒈질 때까지!"라고 친구들 앞에서 맹세를 하고 그것을 지켜나갔다. 그러던 어느 날, 천은사 가는 길에 있는 도계암의 한 스님이 길모퉁이에서 그를 기다리고 서 있었다. 함 선생이 다가가자 스님이 그에게 담배를 물려주며 "축하합니다" 했단다. 그해가 1979년이었다. 하지만 예상과는 달리 너무 오래 끊었고, 끊으니 좋아서 그는 그 이후로 담배는 입에 대지 않았다. 그가 하도 술을 잘 먹는다는 소문을 들어 나로서는 안주발을 세우며 장기전에 대비하려고 하는데 뜻밖에도 그는 이제 술을 거의 먹지 못한다고 했다. "내가 전립선암이래요. 아직 수술할 정도는 아니지만. 그래서 술을 못 먹어, 술도 못 먹고…… 이 전립선암이란 게 말이

❖ 들은 푸른데 산은 희다. 떠나가는 겨울이 아쉬운 듯 지리산이 잔설을 이고 있다.

야 남성호르몬을 먹고 살아, 남성호르몬을……" 그는 슬그머니
날 피해 내 남자친구들에게 남성호르몬의 의미를 눈짓으로 설명하
는 것 같았다. 뭔 의미인지 짐작은 가지만 아무튼 술을 못 드셔서
적적하시겠다 싶었다. 하지만 80세에 남성호르몬 때문에 서운하
신 게 있다니, 험!

　1928년 용띠 구례생, 순천중학교, 연희전문학교 졸업. 내 선배
님이시다. 젊을 적 이야기를 물었더니 뜻밖의 대답이 나왔다. "해
방되었을 때 내 나이가 열여덟이었어요. 해방되던 날, 구례경찰서
로 갔지."

그가 일본 경찰에게 물었다. "너희는 왜 안 나가냐?" "상부에서 아직 명령이 없다." 그러자 그는 "패전한 놈들이 무슨 상부가 있어?" 하고 그들의 무기를 몽땅 빼앗고 친구들과 함께 그들을 쫓아 버렸다. 그리고 그는 스스로 대한민국 최초의 경찰서장이 된다. 그때 미군의 상륙에 대비해 지리산 속에도 일본 군대가 주둔하고 있었는데 사단장이 경찰서로 퇴각을 해왔다. 대좌, 당시로서는 아주 높은 계급이었다. 그는 대좌에게서 사무라이의 상징이라는 일본도를 빼앗고 여수 쪽으로 군대를 다 몰아냈다. 그런데 그 경찰서장 3일 차, 사라진 줄 알았던 일본군이 병력을 이끌고 나타났다. 여수는 물론 전국 어디서도 아직 일본군이 무장해제가 된 곳은 한 곳도 없었던 것이다. 지리산 속에 있다 보니 세상 물정 어두워 촌놈들에게 당했다고 수모를 받은 그들이 다시 나타나 말했다. "무기는 가져도 좋다. 그러나 일본도만은 돌려다오. 아니면 폭격을 하겠다" 협박을 했다. 그래서 열여덟의 그는 '너그러이' 그들의 자존심만은 살려주었다고 한다.

지리산 산장 시절에도 이런 배포의 일화는 계속되었다. 지리산 정상. 그는 거기서 호랑이로 통했다. 고성방가는 물론 큰 웃음도 금지, 쓰레기 금지, 남녀상열지사 금지 등등. 이러다 보니 마찰이 자주 일어나 지리산 다른 산장지기는 주먹다짐은 물론 칼 맞고 쓰러지기도 여러 번이었지만, 그는 한 번도 그런 일을 겪지 않았다. 때리지도 맞지도 않았다. 그러고도 그는 그 카리스마를 전 지리산에 떨쳤던 것이다. 비결을 물으니 예의 간결체로 그가 다시 대답했다.

"초반에 팍! 기선을 제압하는 거지."

산에서 그가 구해낸 인명만도 1백 명은 넘을 것이란다. "그땐 말이야 등산복이나 있나, 여대생들은 청바지에 반팔 티 입고, 사내 놈들도 그렇고 그러다가 산 날씨가 나빠져서 바람 불면 다들 얼어 죽게 생기는 거야. 게다가 그 큰 카세트는 왜 그리 들고 다니는지, 작은 카세트 든 놈이 큰 카세트 든 놈한테 야코가 죽는 시절이었지, 하하."

해가 저물 무렵 우리는 그의 새 거처로 갔다. 40년을 지리산을 위해 담배꽁초 하나라도 세세히 줍던 그가 쫓겨나게 되자 지리산을 사랑하는 이들이 여러 방면으로 애를 썼고 그는 환경부 촉탁직으로 남게 된 것이다. 피아골 입구 관리소에 딸린 작은 방이 이제 그의 거처다. "하산하신 게 아니네요. 여기도 지리산이잖아요?" 내가 묻자 그는 커피 물을 올리며 씨익 웃었다. "8백(미터)은 넘어야 산이지. 그리고 내가 비록 환경부 직원이지만 케이블카는 절대 반대야, 암 절대!" 그러고는 귀에서 무언가를 빼냈다. 보청긴가 싶었는데 아니었다. 귀마개. 저잣거리에 내려가면 그 무수한 소음 때문에 귀가 아파 그가 고안한 것이었다.

창밖 피아골에 어둠이 짙게 내렸다. "노고단 산장에 처음 가서 내가 호롱불을 만들어 현관에 달아놨어요. 근데 작은 호롱불빛이 말이야, 멀리 화엄사 입구에서도 보여. 등불이라는 게 그렇더라고. 어둠 속에서 헤매던 사람들이 그걸 보고 찾아오는 거야. 길게 밝혀준다고 그걸 장명등이라고 하지."

그의 말대로 빛이라는 게 그렇구나, 갑자기 우리는 숙연해졌다. 작은 일도 지극해지면 생명을 살리는 등불이 되는구나. 장명등. 그것이 그의 삶이었다. 돌아오는 길, 겨울잠에서 막 깨어난 개구리들이 찻길을 떼지어 건너가고 있는 게 전조등 불빛에 보였다. 행여 그들이 다칠까봐 차를 멈추고 겨울을 견뎌낸 그들을 보고 있자니 잔설은 아직도 여기저기 남아 있지만 봄이 코앞으로 와 있는 것이 느껴졌다.

❖ 매화꽃과 섬진강

그곳에서 집을 마련하는 세 가지 방법

:

도시의 삶에 치이고 부대낄 때마다 나는 생각하곤 한다.
"50만 원이면 돼. 일단 1년은 지낼 수 있어.
그렇게 시작하면 되는 거야"라고.

버들치 시인은 원래 전주 모악산에 살았다. 무당이 살다 버리고 간 곳이라는데 워낙 습하고 응달진 곳이라 장마철이면 벽에서 줄줄 물이 흘러내렸다. 그곳에서 자고 나면 늘 몸이 찌뿌드드하고 개운치 않았다. 그래도 버들치 시인은 공짜로 사는 게 어디냐며 봄이면 꽃도 심고 텃밭도 살뜰히 가꾸며 가을이면 붉은 아기 단풍잎을 창호지에 장식해 뽀얗게 문을 발라 겨울을 준비했다. 어느 해 여름 소설가 한 명과 방송국 PD 한 명이 찾아왔다. 이 조용하고 한적한 곳에서 실컷 책이나 읽으며 휴가를 보내겠다는 것이었다. 그들에게 집을 내어주고 버들치 시인은 서울로 갔다. 산골 집에서 무공해의 벌레 울음소리를 들으며 저녁을 잘 해먹은 것까지는 좋았다.

"이곳이 천국이여! 도시는 정말 싫다니께!"

"그라제 아, 이 신선한 저녁 공기라니!"

그런데 문제는 어둠이었다. 서서히 어둠이 내리기 시작하자 두 사람은 무언가가 스멀스멀 그들을 덮치고 있는 느낌이 들었다. 이

❖ 최도사의 집은 그의 손이 닿기 전엔 허물어져가는 폐가였다. 이젠 거실, 침실, 사랑방에 연못과 정자까지 갖췄다. 주인 할머니도 최도사의 알뜰한 집 사랑에 두 손 들었다.

상하게 그들의 어깨가 굳어가기 시작했고 두 사람의 눈이 딱 마주친 순간 그들은 누가 뭐랄 것도 없이 그 자리에서 벌떡 일어나 혼비백산 산을 내려왔다. 서로 비슷한 것을 느꼈다는 걸 아는 순간 등골로 소름이 쫘악! 훑어 내렸다고 그들은 말했다.

　나중에 이 말을 들은 버들치 시인은 고개를 갸웃하더니 말했다. "그려……? 내가 처음 와서 한 3개월 괴롭히더니 그 뒤엔 지들이 나가떨어진 것 같던데 그새 또 왔는가, 어쩐가."

　여기서 지들이라 함은…… 내 생각엔 아마도 귀신이 아닌가 싶은데 어쨌든. 한번은 버들치 시인이 친구를 따라 점을 보러 간 적이 있는데 그가 들어서자 갑자기 신들린 점쟁이가 뒤로 벌렁 나자빠졌다 일어났다고 했다. 그런 곳에 처음 간 시인이 놀라자 점쟁이가 말했다.

"거봐 명산대찰 다 찾아다녀봤자 소용없다니께. 왜 이제야 왔어. 우리 계의 큰 어른 되실 분이."

예쁘게 생긴 시인에게 어떻게 그런 면이 있어 그 무서운 귀신들을 물리쳤을까, 하고 나는 그 후로도 오랫동안 생각하곤 했다. 그런데 시인은 드디어 그 집에서 쫓겨난다. 귀신들보다 독한 사람들 때문이었다. 새만금 살리기 운동에 참여해 글도 발표하고 집회에 참여한 시인의 집에 "불을 확 싸지르겠다"는 협박 전화가 밀려들기 시작했던 것이다. 험한 말은 입에 담지도 듣지도 못하는 장애인 아닌 장애인으로 태어난 버들치 시인은 그때부터 인간의 입에서 나오는 독화살을 맞고 시름시름 앓기 시작한다.

정말로 누군가 불을 싸지를까 봐 겁에 질린 시인이 바싹바싹 말라가는 것을 보고 지인들 네다섯 명이 수를 냈다. 햇살 좋은 지리산 자락에 공짜로 살 빈집이 났으니 이사를 오라는 것이었다. 실은 지인들이 추렴을 해서 빈집을 하나 사들였지만 시인에게는 알리지 않았다. 남에게 폐가 된다면 오지 않을 게 뻔했기 때문이었다.

시인은 이삿짐을 풀기도 전에 집 한편에 텃밭을 일구고 배추, 무, 고추, 시금치의 씨앗을 뿌렸다. 집 옆 개울가에는 애기수련과

노랑어린연, 모악산에서 가져온 복수초, 얼레지, 노루귀, 하늘매발톱, 투구꽃을 심었다. 그리고 언제나처럼 그들에게 속삭였다.

"여기가 낯설지? 그래도 잘살 거야, 우리 잘살자."

"동화를 써요, 동화를!"

내가 놀리면 시인은 씨익 웃으며 햇살 좋은 툇마루에 앉아 생밤을 깎아주었다. 어떤 봄날에 그의 집에 찾아가니 그는 나무 밑에 퇴비를 주고 있었다.

"듣는 데서 이런 말 하는 것은 미안하다만은 똑같이 내가 해주는데 애는 작년에 스무 개나 만들고 너는 세 개만 만들었잖아. 올해는 좀더 잘하도록 해라 잉?"

두 그루 사과나무에게 하는 말이었다.

시인이 그 집이 실은 자기 명의로 되어 있다는 것을 안 것은 그로부터 1년 후의 일이었다.

한편 낙장불입 시인은 단돈 50만 원을 가지고 지리산 자락에 온 후 그 돈으로 중고 오토바이를 하나 사고 역시 빈집으로 스며든다. 오토바이에 박스 하나를 실으면 그게 전 재산이니 훨훨 날아다녔다. 그런데 각시가 생기자 좀 번듯한 집이 필요했다. 구례 마고실에 그래도 부엌간이나 쓸 만한 집을 얻었는데 주인이 매달 5만 원을 내라고 했다. 그도 각시도 물정에 어두워서 달라는 대로 한 달에 5만 원을 주었다. 그러자 동네 할머니들이 들고 일어났다.

"무슨 한 달에 5만 원씩이나 받는다냐? 하늘이 무섭지도 안탸?

그 돈 받으려면 보일러 놔달라고 혀."

혹시나 하고 부부가 주인에게 말을 꺼내자, 주인은 몹시 양심에 찔렸다는 듯이 순순히 1백만 원짜리 보일러를 놔주었다고 했다. 그리고 두 사람은 얼마 후 비양심적인(?) 그 집을 떠나 문수골에 집을 구했다. 원래는 1년에 60만 원을 내기로 계약했는데 이사를 가기 보름 전 낚시인이 돈이 좀 모자란다고 하니 50만 원으로 깎아 주었다. 그리하여 가끔 도시의 삶에 치이고 부대낄 때마다 나는 생각하곤 하는 것이었다.

"50만 원이면 돼. 일단 1년은 지낼 수 있어. 그가 그랬듯이 그렇게 시작하면 되는 거야."

그런데 이 50만 원의 기록은 어떤 강적의 출현으로 다시 한 번 무너진다. 그가 언제 지리산 자락에 나타났는지 정확히 아는 사람은 아무도 없다. 그의 학력이 무엇인지 과거가 어땠는지 아는 사람도 없다. 다만 그가 어느 날부터인가 길고 검은 생머리를 휘날리며 쌍계사 골짜기를 누비고 다니는 것을 기억할 뿐이다. 우리는 그를 최도사라고 쓰고 도사 형,이라고 불렀다.

"여기 오기 전에 뭐했어?" 내가 물으면 "살인하고 강간 빼고 다 해봤지!" 큰소리를 치다가 "에이, 뻥까지 마!" 하면 얼른 입을 꼭 다물어 버리는 숙맥이다. 가끔 내가 전화를 걸어 "도사 형, 나 이제 술 끊을까봐" 하면 정색을 하고 대꾸하곤 했다. "끊긴 뭘 끊어. 인생은 뭘 끊고 그러는 게 아니야. 뭐든 끊어지면 죽는 거야……

❖ 긴 머리를 휘날리며 쌍계사 골짜기로 나서는 최도사. 그는 다 버리고 빈손으로 백두대간 탈 날을 꿈꾼다.

그저 줄여가야지" 했다. 가을 무렵 날이 차지면 내가 전화를 해서 이런저런 이야기를 하다가 "어떻게 장작은 패놓았어? 이제 곧 추워질 텐데" 하면 "거 아주 추워지면 걱정을 해도 되는 걸 왜 오늘 같이 좋은 가을, 좋은 거 보기도 아까운 때에 그런 걱정을 하고 지랄이니?" 한다. 이럴 때 내가 수많은 책에서 배운 요지 "즉 오늘 이 순간을 살라"를 듣는 것 같아 그가 정말이지 약간 도사 같다. 말 끝에 "지랄이야"만 안 붙인다면 말이다.

악양 평사리에서 주차요원을 하는 그는 주말에만, 그것도 성수기 5개월만 일을 한다. 일당 5만 원이고 그 일이 1년 내내 있는 것도 아니지만 '연봉 2백'은 확실하다고 행복해하는 그는 가끔 주차장에서 마주쳤을 때 말이라도 걸라치면 질색을 하고 말한다. "공사는 구별해야지. 나 지금 공무 중이야."

언젠가 한번 그가 내게 물었다. "안색이 나쁘다. 무슨 걱정 있나?" "나 힘드네. 형" 내가 말하면 최도사는 내 곁에 쭈그리고 앉아 곰곰 생각하다가 "마음을 비워야 힘이 안 들지. 너 나보다 돈 많잖아" 했다. 그 무렵 여러 가지로 힘들었던 내가 "나 빚 많아" 하자 그는 "빚은 지면 안 되지. 분수 안에서 살아야지" 했다. 이렇게 맞는 말을 할 수가!

그는 배낭 하나에 전 재산을 넣고 목포에서부터 출발해 백두대간 탐사를 시작했다. 그때 그의 나이 마흔. 하던 일을 접고 모든 것을 배낭 하나에 넣을 때까지의 일에 대해 그는 입을 다물었다. 목포와 해남 진도를 거쳐 광양을 들른 그는 우선 최치원 선생이 귀를 씻었다는 세이암(洗耳岩) 근처에 텐트를 쳤다. 그런데 하필 그날 밤새 비가 퍼부었다. 불어난 계곡물을 피해 한잠도 못 자고 길가에서서 담배를 피우고 있는데 누군가 그를 잡아끌었다. 추운데 자기집에 가서 묵어도 좋다는 것이었다. 고마웠다. 그런데 그는 주정뱅이였고 아침마다 술병으로 앓았다. 주정은 힘겨웠지만 앓는 그를 두고 떠날 수가 없어서 그는 그 겨울을 거기서 그를 간호했다. 겨우내 그렇게 간병인이 아닌 간병인으로 지내고 봄이 오자 혼자 독립해서 그 동네의 다른 빈집으로 들어간다. "장가는 왜 안 갔어?" 하고 물으면 "돈 벌기 싫어서!"라고 단호하게 말하는 그이지만 그렇다고 게으른 것은 아니어서 그는 그 빈집을 조금씩 손보기 시작했다.

"낮에 해 긴데 놀면 뭐해? 살살 삽질하면 금방 연못 하나 만들고 화단도 만들어. 꽃이 참 예쁘지?" 쓰러져가던 빈집은 그의 손길을 받자 금방 살아나기 시작했다. 그러고 보니 우리가 보기에 행복하다고 하는 사람들은 가만히 있는 사람들이 아니다. 그들은 무언가를 한다. 산을 오르고 요리를 하고 사막을 횡단하고 전기기구를 발명하고 있다. 참 이상하다. 그 역시 그렇게 늘 무언가를 만들고 가꾸곤 한다. 그가 깎은 솟대는 얼마나 아름다운지.

그러던 어느 날 주인이라는 사람이 집을 비우라고 했다. 버리고 간 자기 집이 이렇게 좋은 곳인 줄 몰랐다며 별장으로 쓰겠다고 했다. 어차피 세상에 내 것이라곤 없는 법, "그러시죠 그럼 그동안 고마웠습니다." 한마디 하고 그날로 그는 거기서 더 윗마을로 올라간다. 그리고는 다시 폐가에 들어가 그 집을 아름답게 꾸몄다. 전주로 나가 노가다를 뛰어 그 돈으로 자재를 사가지고 돌아와 집을 고쳤다. 동네 노인들이 물었다.

"자네 누군가? 누구 허락 맡고 이 집에 들어와 사나?"

그는 묵묵히 읍내로 나가 소주와 안주를 사왔다. 그리고 동네 정자에서 노인들께 술을 올렸다. 뭐 딱히 궁금했던 것도 아니었으니 심심하던 노인들은 순순히 그를 받아주었다. 그러자 이번에는 젊은이들이 그에게 시비를 걸어왔다. 그는 도사다운 무술 솜씨로 그들과 맞짱을 떴고 그의 주먹세례를 맞고 여기저기 뻗어 있는 그들을 일으켜세워 다시 술을 샀다. 그러던 어느 날 주인이 나타났다. 서울 아들네로 올라간 할머니였다. 할머니는 집을 둘러본 후 그 집 툇마루에 앉았다.

"며칠 전 누가 전화를 걸어 1년에 30만 원을 낼 테니 이 집에 살고 싶다고 했네."

주인 할머니는 그의 기색을 살폈다. 무일푼인 그는 가만히 있었다.

"그런데 내가 막상 여기 와보니 자네가 이 집을 얼마나 아끼는지 알 수 있었네. 그냥 살게."

세 칸짜리 그의 집에는 없는 게 없다. 거실 침실 그리고 사랑방에 연못과 정자까지! 그는 오늘도 그가 담근 산복숭아술을 우리에게 내놓고 취기가 오르면 먼 곳을 바라보며 말하곤 한다. "벽소령 넘어 백두대간을 탄다고 여기 온 지가 벌써 10년이야. 돈 없이 살 때는 정말 아무것도 필요 없었는데 요즘 1년에 돈 1백이라도 생기니 왜 이렇게 필요한 게 많은지 몰라. 언제 다시 다 버리고 빈손으로 벽소령을 넘어야 하는데! 꼭 넘어야 하는데."

'내비도'를 아십니까

. . .

홀연 지리산에 등장한 최도사!
"시인이 무슨 돈이 있어! 난 사라야! 그냥 내비도!"

최도사는 내비도의 교주이다. 그러나 교회도 성직자도 헌금도 없다. 그의 집 반 평 남짓한 툇마루 윗벽에 누군가 써준 이 교의 이름이 적힌 족자가 걸려 있을 뿐이다. 그는 다른 교의 교주들처럼 주말에만 일하고 평일에는 자신의 본당인 '잠잠 산방'에 머물러 있다. 여기서의 잠이란 그냥 우리말 잠이다. 잠을 자고 잠을 잔다는 뜻의 '잠잠 산방'이다. 여름에는 햇볕을 피해 정자에 누웠다가 건넌방 툇마루로 옮겨 앉았다가 해질 무렵 평상에 앉으면 하루가 가고, 겨울에는 거꾸로 햇볕을 따라 마당에 앉았다가 툇마루로 갔다가 정자로 가면 하루가 금방 간다고 그가 말했다. 이쯤 되면 소원을 들어주겠다고 하는 알렉산더 대왕에게 "햇볕이 가리니 비켜달라"고 말했던 디오게네스가 울고 갈지도 모르겠다.

　교주답게 그의 집에는 전국 각처에서 몰려온 진상품도 있다. 남해에서 왔다는 갈치속젓에 도자기 굽는 여자가 가져왔다는 생강꽃차, 여수에서 왔다는 갓김치, 강원도에서 온 옥수수 막걸리도 있

✤ 최도사는 지리산의 디오게네스다. 디오게네스가 통 속의 현자(賢者)였다면, 그는 잠잠산방의 현자다.

다. 내가 서울에서 내려갈 때 제과점에서 빵이나 과자 같은 걸 사가지고 가면 "먹을 것 천진데 또 뭘 사왔어?" 하면서 내게 속젓도 좀 퍼주고 생강꽃차도 한 병 내민다. 벼룩의 간을 베어먹는 것 같아 사양을 하고 싶지만 주고 싶은 그의 마음을 거절하기가 늘 어렵다. 아마도 내가 사가지고 간 것들도 그렇게 다른 이들에게 분배되고 있을 것이다. 그런데 그 자신은 먹는 것에 별 관심이 없다. 연봉이 2백만 원이나 되어서 가끔 자장면도 사먹는다고 자랑하는 사람이니까 말이다. 대신 그는 곰팡이 핀 식빵도 먼지 털듯 바지에 툭 툭 쳐서 먹었다. 그의 말에 따르면 뱀도 지네도 모기도 자신에게 해를 입히지 못한다고 했다. 신통력을 부리는지 어쩌는지 "내비두면" 다 낫는다는 것이다.

하지만 그가 한 가지 무서워하는 것이 있는데 그건 농약이었다. 농약 친 논 근처만 지나가도 밤새 앓는다는 것이었다. 고전적 뱀파이어에게 십자가가 치명적이듯이 그에게는 농약이 치명적이다.

한번은 낙장불입 시인이 한밤중에 지네에게 물려 발이 퉁퉁 부어올랐다. 그의 아내 고알피엠 여사가 놀라 혹시나 묘약이라도 있을까 하고 최도사에게 전화를 걸었다. 최도사는 태연히 말했다.

"음, 그거 닭똥 하얀 거가 약이야. 그거 구해서 바르면 돼."

"그걸 이 밤에 어디서 구해? 양계장이 여기서 먼데."

그러자 그가 대답했다.

"멀어? 그럼 병원으로 가면 되겠네."

이렇게 당연한 말을 듣는데도 사람들은 급한 일이 있으면 최도사에게 전화를 건다. 그러고 보니 우리가 당연한 말을 당연하게 들은 지가 너무 오래되었나 보다. 그래도 요즘은 전화가 있으니 이런 당연한 이야기도 한다. 그에게 아무 통신시설이 없던 시절, 좀 오래된 이야기인데 한번은 낙장불입 시인이 그의 집에서 자는데(낙장시인의) 휴대폰 벨이 울렸다. 그가 화를 내며 말했다. "새벽부터 언놈이 전화를 하고 지랄이야?" 휴대폰을 만지작거리며 낙시인이

❖ 최도사 집 툇마루 윗벽에는
'내비道(도)' 라고 쓰인 족자가
걸려 있다.

대답했다. "응 알람이야." 그러자 최도사가 돌아누우며 중얼거렸
다. "알람이? 이름이 괴상망측한 놈들은 하는 짓도 꼭 저래요!"

이렇게 물정 모르는 최도사의 명성은 그러나 은근히 높은 모양
인지 가끔 낯선 손님들이 그 집에 몰려오곤 했다. 그들이 앉은 평
상에서 좀 떨어져 기다리는데 그들이 나누는 이야기가 들렸다. 정
치인들인 모양이었다. "최근 정세를 어떻게 보십니까?"

도사는 어이가 없다는 표정이었다. "그런 걸 내가 알 리가 없지

요. 이왕 오셨으니 차나 한잔들 하시고 가십시오."

나는 도사의 말이 진실되다는 것을 알았으나 그들은 그렇지 않은 것 같았다. 그가 대답을 피하면 피할수록 더욱 바싹 그에게 달려들었다. "도사님께서 함부로는 아무 말씀 하시지 않는 것을 알고 찾아왔습니다. 이런 때에 저희가 할 일이 무엇이겠습니까?"

"글쎄 저는 아무것도 모르는 산중 한량입니다. 할 일이 무엇 있겠습니까? 그저 내비두십시오."

앗, 내비도다! 싶어 나는 웃음을 참고 있는데 그들이 고개를 끄덕거리며 다시 물었다.

"이번 대선 주자 중에 누가 유력할 것 같다고 보십니까?"

그러자 그가 잠시 생각하더니 이제사 좀 아는 문제가 나왔다는 듯이 대답했다. "글쎄요, 제가 어제 식당에서 밥을 먹다 텔레비전을 보니까 여론조사 결과로는 이명박 씨가 제일 많은 표를 얻을 것 같다고 하던데요."

그들은 기쁜 얼굴로 돌아갔다. 깔깔거리며 웃는 내게 그가 웃지도 않고 말했다.

"보수가 뭔 줄 아니? 잘못된 거 수리하는 게 보수야. 진보는 뭔줄 아니? 다른 사람보다 부지런히 보수하는 진짜 보수가 진보야." 이럴 때는 나도 다시, 그가 진짜 도사가 아닐까 의심도 일었다.

그의 집에는 온갖 종류의 신도들이 와서 상담을 한다. 도회지 사람들뿐 아니라 동네 할머니들도 온다. 아랫마을 할머니가 지팡

이를 짚고 들어서면 그는 반색을 하고 할머니는 툇마루에 앉는다. 할머니는 며느리 흉도 보고 아들 야속한 것도 중얼거리고 서울 간 손자 공부 잘하는 것도 이야기하다가, 간밤에 치통을 앓아 한잠도 못 잤다면서도 또 엉뚱하게 밤새 꿈자리가 뒤숭숭했다고 한다. 최 도사는 마당에 난 풀을 뽑으며 할머니의 앞뒤 안 맞는 이야기에 맞장구를 치고 있곤 했다. 할머니의 이야기는 끝도 없이 이어지고 "아이구 젊은 사람 바쁜디 내가 그만 가야 허는디……." 하는 소리를 아홉 번 할 때까지 그는 싫은 기색 한 번 안 한다. 할머니가 드디어 "최도사, 어쩌면 좋으까이?" 물으면 그는 그제야 대답했다.

"할머니 그냥 내비두세요."

"참 용해. 사람 이야기 들어준다는 게 쉬운 일이 아닌데."

내가 물으면 그는 씨익 웃으며 대꾸한다.

"너무 귀를 기울여도 진이 빠지고 너무 건성이면 그쪽이 서운해. 그러니까 딱 그 중간을 지켜야 해."

그가 정말 도사가 아닐까 싶어, 내가 다시 그를 떠보았다.

"산중에 혼자 있으면 무섭지 않아? 혹시 귀신 같은 거 어떻게 생각해? 본 적 있어?"

"가끔은 말이야. 너무 심심할 때 귀신이라도 좀 와서 술이라도 한잔 건네면 좋겠다 싶어."

"그럼, 무서울 때 없어?"

그러면 그가 대답했다.

❖ '공무수행' 중인 주차요원 최도사

"귀신은 안 무서운데 가끔 어두운 방에서 일어나 왔다갔다하다 내 얼굴이 거울에 비치면 깜짝 놀라. 정말 귀신인 줄 안다니까!"

그런 최도사와 버들치 시인은 친구 사이다. 하지만 두 사람은 자주 만날 수는 없었다. 둘 다 교통수단이 없었고 자가용이 아니면 닿지 못하는 산골에 살기 때문이었다. 그래도 둘은 마음으로 서로를 아끼는 사이였다. 한번은 시집을 낸 버들치 시인이 돈이 조금 생겼다고 최도사를 초대했다. 두 사람으로서는 다 너무도 귀한 일인 외식을 하러 간 것이다. 두 사람은 그 만남을 위해 하루에 서너 번밖에 없는 버스 시간을 헤아려 버스를 타고 그러고도 먼 길을 걸어 반갑게 만났다. 버들치 시인이 식당으로 최도사를 데리고 가 메뉴판을 집어 들었다.

"맛있는 거 먹어. 오늘 나 돈 많아."

그러자 최도사는 한동안 메뉴판을 쏘아보았다. 시골 식당이 그렇듯 없는 게 없는 식당이었다. 육개장 5,000원, 설렁탕 5,000원, 자장면 3,500원, 냉면 4,000원, 떡볶이 2,000원, 사리 1,000원…….최도사는 한참을 망설이며 입맛을 다시다가 이윽고 결심한 듯 의기양양하게 주인에게 말했다.

"난, 사리!"

남에게 폐를 끼치면 안 되는 버들치 시인이 주인보다 더 당황하며 그건 안 된다고 하자 최도사가 다시 말했다. "글쎄, 사리가 무슨 음식인지 몰라도 적어놨으면 팔아야지……. 시인이 무슨 돈이 있어! 난 사리야! 그냥 내비도!"

❧ 감나무 위의 까치집이 운무 속에서 봄내를 맞고 있다.

ⓒ지리산 사진작가 강병규

❖ 제석봉의 초봄

낙장불입 시인 이사하다

...

술 먹기 좋은 정자, 발 아래 놓인 것 같은 섬진강
문제는 집세 1백만 원인데, 냉장고 사줄 터이니 밀어붙여!

낙장시인은 문수골에 살았다. 그의 집은 사람들이 다니는 길에서 한 2킬로미터 정도 더 위로 올라가야 하는 외딴 곳에 있었다. 경사가 너무 가팔라 눈이라도 오는 날에는 꼼짝없이 집에 갇혀 있어야 했던 그는 우체부가 힘들까봐 마을에서 자신의 집으로 오르는 길목에 낡은 의자를 하나 세워두었다. 그리고 역시 못쓰게 된 헬멧을 벗어 그 위에 올려놓았다. 만일 헬멧이 똑바로 놓여 있으면 그가 그 헬멧을 똑바로 쓰고 오토바이를 타고 있는 중이니 등기가 왔다 하더라도 힘겹게 올라오지 말라는 표시였다. 그가 집에 있는 날에는 헬멧을 뉘여 놓았다. 그건 그가 집에서 이렇게 헬멧을 뉘여 놓고 쉬고 있다는 표시였다. 나중에 그것도 미안해진 그는 아예 우편함을 하나 만들어 세워놓고 그 안에 인감도장까지 매달아놓았다. 올라오기 힘이 들 테니 얼마든지 필요하면 도장을 찍어가라는 것이었다. "인감까지?" 내가 물으면, 그는 웃으며 대꾸했다. "내 등 쳐봐야 나올 게 뭐가 있겠어?" 결국 소유와 자유는 철저하게 반

❖ 낙장불입 시인의 새 집에서 내려다본 섬진강이 눈부시다. 시인과 친구들은 강가에서 찬 맥주를 마시며 벚꽃 피어나는 소리를 듣는다.

비례한다는 것을 나는 그렇게 깨닫곤 했다.

그의 집은 늘 열려 있었다. 누구든 그의 집에 와서 쉴 수 있다는 것이었다. 그의 집 문 앞에는 '피아산방 사용설명서'가 붙어 있었는데 거기에는 보일러 트는 법, 세탁기 돌리는 법 등이 소상히 적혀 있었다. 버들치 시인 집에 몰려드는 사람들이 주로 홀로 있는 사람들이었다면 그의 집에는 주로 가족 단위의 손님이 많았다. 그들은 대개는 낙장시인 집에 묵어가면서 사과나 감이나 그도 아니면 마른 건어물 등을 한 박스씩 놓고 가곤 했는데, 가끔은 그의 집에서 남이 가져다 놓은 것들을 도로 가지고 나가는 사람도 있었다. 낙시인은 그것 역시 인생의 낙장불입 법칙이라 생각하고 대수롭지 않게 여겼다.

그런데 정권이 바뀌고 얼마 후였다. 그가 수경 스님, 도법 스님과 한반도 대운하 반대 삼보일배에서 돌아온 즈음 전화가 걸려왔다. 5년 동안 그에게 연세(年貰) 50만 원에 집을 빌려주고 거의 다른 일에는 참견하지 않았던 주인이었다. "미안하지만 아들이 공직에 있어서 그러니 집을 비워달라"는 것이었다. 가만, 21세기 대한민국에서 이런 후진 일이! 싫었지만 주인의 마음은 바뀌지 않았다. 소식을 들은 나도 어이가 없었다. 연세 50만 원을 내고 그렇게 가난하게 살아가는 시인에게조차 이런 일을 하는 정권에 희망이 있을까 싶었다. 지리산에 낙향한 이래 쭉 밝아지던 그의 얼굴이 다시 어두워진 것도 이 무렵이었다.

그는 그 뒤부터 집을 알아보러 다니기 시작했다. 어느 날 아내 고알피엠 여사와 만두 1인분 찐빵 1인분 이렇게 도시락을 싸가지고 섬진강가를 거니는데 강 건너편 마을의 어떤 집이 이상하게 눈에 띄었다. 왠지 그 집과 인연이 있을 것 같은 강렬한 예감이 들었다고 그는 말했다. 그 마을로 건너가 이장에게 혹시 세 나온 집이 있느냐고 물었다. 없었다. 그는 이장에게 연락처를 건네고 돌아왔다. 그런데 6개월 후 연락이 왔다. 그 집에 사시던 할머니가 돌아가셔서 아들들이 그 집을 세놓으려 하는데 들어오겠느냐는 것이었다.

언젠가 버들치 시인이 점쟁이에게 갔더니 아이고 이렇게 큰 분이 왜 이제 오셨느냐고 절을 했다더니, 낙장시인이 거기 간다면 점쟁이가 자기가 앉던 방석을 바로 내줄 것 같다고 우리는 농담을 했다.

대신 이 집은 전망이 너무 좋아—마당에 서면 섬진강이 한눈에 보인다. 게다가 술 먹기 좋은 정자까지 있다!—연세가 비싸다고 했다. 연세가 1백만 원이나 된다고 고알피엠 여사가 한숨을 쉬는 걸, 나와 내 친구들이 정자에서 섬진강 바라보며 술을 마실 욕심으로 밀어붙였다. 친구들이 추렴해서 새 냉장고를 사주기로 한 것이다. 고알피엠 여사는 금방 화색이 돌며, "하기는 냉장고가 부실해서 그동안 맥주가 차지 않았는데" 하며 그녀 역시 우리와 같이 술 욕심에 충천한 사람이라는 것을 드러내며 웃었다.

낙시인의 얼굴도 밝아지기 시작했다. 낙시인이 그렇게도 기다리던 소식이 천수만에서 온 것이었다.

동물보호협회는 밀렵으로 상처 입은 동물들을 안락사시키는 대신 원하는 이들에게 분양하기도 했는데 그는 어린 시절부터 꿈에 그리던 매를 분양받게 된 것이다. 그것도 한 마리가 아니라 두 마리나. 그는 그 새들의 이름을 천, 수 이렇게 지어놓고 이사할 집 마당에 제일 먼저 새집을 지었다. 인간의 총에 날개를 다쳐 이제 날지 못하는 새들이지만 그는 어깨 위에 새를 한 마리씩 올리고 오토

바이를 타는 꿈을 꾸고 있었다. 그러면서 그들에게 이렇게 물어볼
거라는 것이다.

"어떠냐? 그래도 좀, 나는 것 비슷하지?"

"새 먹이느라 하루에 못해도 1천 원은 넘게 들어갈 텐데 괜찮겠
어?"

내가 물었다. 아닌게아니라 낚시인은 두 마리 맹금류를 먹이느
라 벌레도 잡으러 다니고 개구리도 잡으러 다니는 것 같았다. 그것
도 없는 날에는 닭고기를 사다가 먹여야 했다.

"양계장에 가면 병아리 부화할 때 수놈은 감별해서 버리는데,
그걸 먹이면 돈이 좀 덜 들 수도 있는데. 사냥 본능도 충족시키
고."

나와 함께 지리산을 방문하는 강남좌파(아마도 프랑스의 고쉬 캐
비어, 영국의 리무진 리버럴의 한국식 이름이 아닐까, 아무튼 그 선배는
강남 한복판에 산다. 같은 아파트에 22년째 살고 있긴 하지만. 캐비어는
커녕 족발과 쥐포를 주식으로 하는 이 선배는 자기가 지리산행에 드는 돈
도 내고 운전도 해주는데 주요 인물이 아닌 것에 불만이 역력한 눈치이
다)가 말했다. 그의 눈이 반짝 빛났다. 강남좌파 형은 요즘 서교동
사무실에서 길고양이 한 마리를 주워 기르고 있는데 퇴근 후에 그
고양이가 심심해한다며 천과 수뿐만 아니라 자신의 고양이에게도
그걸 주는 좋은 생각을 왜 진작 못했는지 모르겠다면서 좋아했다.
낚시인도 이렇게 좋은 수가! 하는 표정이었다. 내가 그들을 째려

✤ 낙장불입 시인 부부가 키우는 개 '지화자'(좌)와 '얼씨구'

보자 그제야 사태를 구체적으로 상상해낸 고알피엠 여사가 비명을 질렀다. 나중에는 우리 모두 그저 허허 웃고 말았는데 낚시인같이 착한 사람이 죽어갈 생명을 살리기 위해 다른 생명을 천연덕스럽게 죽일 생각을 하는 걸 보니 역시 소유는 무서운 거다. 그런데 천하고 수가 온 이후로 낚시인 부부는 자주 다투기 시작했다. 아침에 눈뜨면 낚시인이 두 마리 새에게 먼저 인사하고, 작지만 고료라도 받는 날은 닭고기를 사다가 새에게 먹였다. 한마디로 자나 깨나 새 생각만 하는 것이었다.

"나도 닭고기 먹고 싶다."

고알피엠 여사가 투덜거리면 낙시인이 대답했다.

"그래? 당신은 닭을 무서워하는 줄 알았는데?"

"닭은 무섭지만 치킨은 좋아한다구! 흑…… 처음에는 섬진강에서 날마다 은어라도 잡아줄 것 같더니 시집온 그해 은어 먹어보고 한 번도 못 먹었어."

그러면 낙시인은 천연스레 대답했다.

"그래? 당신은 물고기를 무서워하는 줄 알았는데."

그리고 낙시인은 우리에게 나직이 말했다. "새한테는 한 달만 정성 들이면 평생 내 말 잘 들어. 그런데 마누라는 1년 내내 잘해줘봤자 버릇만 나빠지지."

그러면 독신인 나는 질투하던 마음이 좀 풀어져서 흐뭇하게 그들을 놀리곤 했다. "바람만 불어도 갈비뼈가 어긋나고 별자리가 다 알피엠 이름으로 바뀐다더니 그 여자가 이 여자 맞아?"

이사 며칠 전 고알피엠 여사가 자기편을 두 마리 만들었다. 개 두 마리를 얻어온 것이었다. 한 마리는 차우차우 종이고 한 마리는 리트리버 종이었다. 고알피엠 여사가 시인의 아내답게 좋은 이름을 골라 지으려고 궁리하는데 그만 낙시인이 그 개들의 이름을 지화자와 얼씨구라고 지어버렸다. 얼씨구는 아직 손바닥만 한 조그만 녀석이라 괜찮았는데 문제는 지화자였다. 사람의 기척만 들리면 좋아 날뛰기 시작하는데 내가 몇 번 당해보니 꼭 곰이 자기 나름대로는 나를 껴안는다고 하면서 퍽퍽 치는 것 같았다. 내가 알기로 차우차우는 사색하는 개로 유명해서 잘못하면 우울증이라도 걸린 듯 보인다던데, 내가 의아해하며 묻자 고알피엠 여사는 "글쎄 엄마도 그렇지 않고 아빠도 그렇지 않은데, 지화자의 이모 성격이 그래서 그렇다네" 했다. 혈통 좋은 개는 역시 다르다는 걸 처음 알았다. 이모의 성격까지!

이삿날이 왔다. 각지에서 몰려온 친구들이 이삿짐을 날랐다. 마을 어귀로 들어서는데 온 동네 주민들이 다 나와 있었다. 꼭 올림픽에서 메달이라도 따서 귀향하는 듯한 풍경이었다. 이른 아침 이장이 마을방송을 통해 오늘 젊은 댁들이 이사 온다는 말을 한 탓이었다. 겨우 짐을 부리고 자장면을 시켜 점심을 먹고 나자 고알피엠 여사가 알피엠을 높이며 걸레를 찾기 시작했다. 예상대로 한 시간이 지나도 걸레는 찾아지지 않고 아무래도 걸레는 영 나올 것 같지 않았다. 우리는 깔끔하고 정갈한 버들치 시인 집으로 피난을 가기로 마음먹었다. 사람을 본 지화자는 하루 종일 뛰고 있었다. 배웅 나온 고알피엠 여사가 말했다.

"아유 쟤가 왜 저래? 혹시라도, 사람들이 날 닮아서 저런 개가 집에 들어왔다고 할까 봐 어떤 때는 겁이 난다니까."

그러자 버들치 시인이 웃음을 참지 못하며 대꾸했다.

"혹시라도 그럴까 봐라니? 벌써 다들 그러고 있어."

그날 밤 결국 걸레를 찾지 못한 고알피엠 여사와 낙시인은 우리를 따라 버들치 시인 집에 와서 잤다. "집 정리되면 와!" 알피엠 여

사가 그렇게 말했지만 글쎄, 그날이 올까? 어찌 되었건 냉장고에
맥주가 있으면, 그리고 그것이 차면 그걸로 좋은 일이다.

"벚꽃 피기 시작"

어제 낚시인에게 문자가 왔다. 이번 주말은 그 집에 가야겠다.
찬 맥주를 마시며 정자에서 섬진강을 보면서 꽃들이 피어나는 소
리를 들어야겠다.

버들치 병들다

. . .

버시인은 가빠오는 호흡을 고르고 숫자를 세었다.
그리고 억센 놈들에게 달려들었다. 그 결과는···

버들치 시인이 앓아누웠다는 소식이 왔다. 전화를 하니 자동응답기에서 녹음만 흘러나왔다. "바람과 풀과 나무와 물과 햇빛과 모든 것이 푸르러졌습니다. 그 푸르름 속에 있습니다. 저라고 어찌 견뎌내겠습니까. 이미 저도 푸르러졌습니다. 연락사항 남겨놓으세요. 그럼 안녕."

끝부분의 '안녕!'이 좀 닭살이 돋는 경향이 있긴 하지만 버들치 시인의 이 자동응답기 녹음은 그 자체가 하나의 시 낭송이다. 지금도 그렇지만 한때는 그가 쓴 이 자동응답 문구들이 철철이 화제가 된 적도 많았다. 이런 건 어떤가.

"덥기는 덥지요? 고추밭에 빨갛게 익은 고추를 안 따고 놔두었더니 그만 뚝뚝 떨어져버렸네요. 집에 있는 꼬추들은 잘 간직하고 있겠지요. 이 더위에 꼬추가 축축 늘어져 떨어지지 않도록 잘 붙들어 매주시기 바랍니다. 전 지금 개울가에 있습니다. 뭐하냐고요? 빨래하지요. 안녕!" 한번은 그의 집에서 내가 전화를 받자 누군가

✤ 버들치 시인은 이제 마당에 연못을 파고 버들치를 기른다. 집 앞 개울에 키우던 버들치가 잔인한 인
간들의 손에 죽은 뒤의 일이다. 시인은 살아 숨 쉬는 모든 존재에 약하다.

다짜고짜 말하기도 했다. "에이 전화를 받아부네. 끊고 다시 걸팅
께 받지 마쇼 잉. 이 응답이 하도 유명하다고 해서 내가 들을러 일
부러 걸었거구마이."

　아무튼 왜 아픈가 궁금해 낙장불입 시인에게 전화를 했더니 얼
마 전 버시인이 출타를 한 중에 랄랄라가 누군가에게 잡아먹히고
나서 버시인이 그만 앓아누웠다고 했다. 랄랄라는 정 주기 무서워
서 강아지도 안 키우는 버들치 시인이 하는 수 없이(?) 키우는 닭
의 이름이었다. 그를 위문하러 남녘으로 가는 길에 마음이 무거웠

다. 그에게 랄랄라가 가지는 의미가 어떤 것인지 다 짐작할 수는 없지만 지난번 버들치들이 죽었을 때의 일을 내가 기억하고 있기 때문이었다.

예전에 버시인은 집 앞 개울에 버들치를 키웠다. 먹다 남은 밥알갱이나 쌀뜨물을 부어주면 몰려들어 그걸 먹었다. 바위 틈에 숨어 있다가도 버시인이 나타나 손 딱딱이를 치면 모여들었다. 여름날 그가 아무도 없는 개울에서 벗고 멱을 감으면 그의 몸에 몰려들어 입으로 톡톡 인사를 건네던 그들이었다. 그러던 어느 날, 집을 비워두었다 돌아오는 길에 올려다보니 집 앞 개울에 건장한 남자들이 우글거리고 있는 게 보였다. 순간 가슴이 덜컥했다. 가끔 집 앞 개울에 버들치나 다슬기를 잡으러 오는 아낙네들을 보면 "차라리 내가 돈을 드릴 테니 시장에 가서 사 드셔횻! 그건 제가 키우는 거예횻!" 하고 전에 없이 큰소리로 역정을 내던 그였다. 그런데 이번엔 건장한 남자들이었다. 그들의 손에 전기충격기가 들려 있는 것이 먼저 눈에 띄었다. 벌써 버들치 몇 마리가 기절한 채로 둥둥 물 위로 떠오르고 있었다. 버시인의 눈에 핏발이 섰다. 건장한 남자 셋은 태연하게, 기절한 버들치를 양동이에 주워 담고 있었다. 이대로 간다면 그가 날마다 밥풀을 주고 키운 버들치들이 다 고추장 양념 속으로 들어가버리고 말 것이었다. 그는 마지막 시도를 하기로 했다. 얻어맞아도 좋고 짓밟힌대도 좋으니 버들치들을 살리려고 마음먹은 것이었다. 생전 싸움이라고는 해본 적이 없는 가냘

픈 버시인이 할 수 있는 일은 하나였다. 기회를 보아서 온몸으로 그 버들치를 담은 양동이를 들이받아 엎질러서 그들을 다시 개울 물로 돌려보내는 길뿐이었던 것이다.

버시인은 가빠오는 호흡을 고르고 맘속으로 숫자를 세었다. 셋, 둘, 하나…… 얍! 1초도 안 되어 버시인은 남자들의 완강한 제지에 의해 개울 옆으로 나뒹굴며 이마를 깨고 말았다. "에잇 재수 없어, 힘도 없는…… 당신이 버들치 애비라도 돼?"

남자 셋이 산을 내려가버릴 때까지 버시인은 거기 엎어져 있었다.

저녁 무렵 약속에 나타나지 않는 그를 이상히 여겨 우리가 올라가니 저무는 집 툇마루에서 이마에 피가 엉겨 붙은 채 그가 망연히 앉아 있었다. 놀라는 우리에게 그가 힘없이 말했다. "모든 게 내 잘못이야. 사람을 경계하게 했어야 했는데. 내가 그 애들을 너무 경계심 없게 키운 거야……."

그보다 먼저 내 눈에 눈물이 고여왔다.

"그게 왜 형 잘못이야?"

그가 너무 처연해 보여서 내가 버럭 소리를 질렀는데 그는 대꾸도 않고 저녁도 거르고 먹지 않았다. 그날 밤 우리는 그에게 독한 술을 샀다. 그는 전라도 말로 '모지락스럽게' 큰소리로 노래를 불러댔다. 경주의 환한 달밤에 자신의 방에서 아내와 다른 이의 가라리 합해서 넷인 걸 본 처용도 그보다 처연한 소리로 노래를 부르지

❖ 버들치 시인의 아침 반찬.
　그의 밥상은 소박하다.

는 않았을 것이다.

　그런데 이번엔 랄랄라였다. 누군가 가져온 암탉만 두 마리를 키우던 버시인은 암탉 한 마리를 산짐승에게 잃고 말았다. 그는 '자생력을 키워주기 위해' 이제 한 마리 남은 랄랄라에게 조금씩 나는 연습도 시켰다. 그가 밖에 나갔다 돌아와 "랄랄라!" 부르면 어느새 지붕에서 푸드드득 날아내렸다. 그가 얼른 부엌에 들어가 쌀 한 줌을 마당에 뿌려주면 랄랄라는 콕, 쌀 한 점 찍어 먹고 버시인 바라보고 콕, 쌀 한 점 찍고 버시인을 바라보곤 했다. 버시인이 뒷간에 가서 앉아 볼일을 보고 있으면 랄랄라는 나무로 엮은 휑한 화장실 문틈으로 빤히 그를 올려다보고 있다가 그가 텃밭에 가면 텃밭으로 따라오고 그가 뒤꼍으로 가면 뒤꼍으로 따라왔다. 그가 출타라도 할라치면 랄랄라는 동네 어귀까지 따라왔다. "에잇 녀석 어서 들어가!" 혼자 빈집에 있을 랄랄라를 생각하면 안쓰러운 그가 발을 구르면 랄랄라는 푸드득 뒤로 물러났다가도 다시 그를 따라오곤 했다.

"저게 무슨 닭이야, 강아지지."

우리는 그렇게 그를 놀리곤 했다. 그가 혼자 툇마루에 앉아 있으면 어디선가 지붕 위에서 랄랄라가 내려앉았다. 적요한 한여름의 마당. 햇살만 희게 부서지는데 그와 랄랄라의 눈이 마주치면 랄랄라는 희한하게도 한쪽 날개로는 뒷짐을 지고 한쪽 날개를 머리 높이 올리고는 빙그르르 맴을 돌았다. 놀란 그가 다시 바라보자 이번에는 반대쪽 날개를 뒷짐 지고 다른 날개를 올려 빙그르르 맴을 돌았다. 영락없이 구애하는 자세였다. 우리에게 랄랄라의 그 몸짓을 이야기할 때 나는 가끔 그에게서 사랑에 빠진 암탉의 얼굴을 보았다. 버들치 이야기를 할 때는 언뜻 버들치의 얼굴도 보았다.

언젠가 섬진강에서 은어 천렵을 할 때 "나 먹을 거 몇 마리냐?" 물은 그가 비닐봉지를 가져와 자신의 몫인 두 마리를 죽이지 않고 그대로 연못으로 가져가던 것을 기억해보니 그때 그의 얼굴에 얼핏 은어스러움이 어렸던 것도 같았다. 본질적으로 생명에 순응하며 사는 모든 것은 결국 한 종족이었나.

그런데 이제 그는 많이 늙어 보였다. 랄랄라 이야기를 그에게 더 꺼내는 건 어리석을 것 같아 나는 말없이 부엌으로 갔다. 죽이라도 끓여주려고 해서였다. 그런데 냄비마다 죽이 담겨 있었다. 전복죽, 잣죽, 땅콩죽.

"무슨 죽을 이렇게 많이 끓였어?" 내가 묻자 그는 "끓이긴, 그러지 말라는데도 자꾸 가져오네, 참" 하곤 담배를 물었다.

그때 그의 마당 밖으로 차 한 대가 들어서는 소리가 들렸다. 그리고는 언제나처럼 낯선 여자가 내렸다. 문을 열던 여자는 우리 일행이 있는 것을 보더니 "버시인님 아프시다고 해서 좀 끓였어예. 흑임자죽임더" 하며 냄비를 내밀었다. 그리고는 행여 우리에게 폐라도 될까 휑하니 떠나버렸다. 따끈한 흑임자죽 냄비를 들고 벙글거리는 나를 보고 버시인이 말했다. "괘씸한 것들, 그렇게 죽 끓여오지 말라니까. 참" 하며 빙그레 웃었다. 버시인은 뽀시락 뽀시락 일어나 마당에서 머위를 따고 쑥부쟁이를 캐서 된장과 매실즙에 각각 무쳐 우리에게 내놓았다. 식성 좋은 우리는 죽을 네 가지나 골고루 잘 먹고 나서 기어이 한마디씩 했다.

"여기에 닭죽 한 그릇만 더하면 금상첨화인데."

버들치 시인이 버럭 소리를 질렀지만 이미 그의 얼굴에 서러움이나 노여움은 많이 가셔 있었다. 그래서 우리는 하는 김에 더 나갔다. 거의 채식만 하는 그를 놀릴 때마다 쓰던 말이었다.

"형님은 우리보고 그 예쁜 것들을 어떻게 잡아먹냐 하지만, 그럼 그 예쁜 풀은 어떻게 뜯어먹어요?"

"맞아, 우리도 채식을 하고 있긴 해요. 풀만 먹는 소를 먹거든요."

"저는 형님의 채식을 본받으려고 돼지고기도 잘게 채 썰어 먹어요."

그러자 시인이 버럭 소리를 질렀다. "거기 서 있지 말고 비켜! 우리 봉선화 그늘진다!"

버시인이 그러는 것을 보자 우리는 안도를 했다. 그건 그가 다시 평상심으로 돌아왔다는 이야기였다. 그때 전화가 울렸다. 전화를 받은 버시인이 손사래를 쳤다.

"안돼홋! 절대 가져오지 마셔홋! 여기 죽 남아돈다니까홋! 절대 가져오지 말라니까홋!" 전화를 끊기도 전에 밖에서 다시 자동차가 멎는 소리가 들렸다. 내다보니 다른 여성이 냄비와 찬합을 들고 차에서 내리며 "버시인님 계세요? 제가 죽을 좀 쑤어 왔는데요" 했다. 버시인이 한숨을 쉬었다. 그러자 낙장불입 시인의 아내 고알피엠 여사가 낙시인에게 말했다. "여보 우리 버시인님 뒷집으로 이사를 할 걸 그랬나 봐. 그러면 밥을 안 해도 될 텐데."

우리가 킥킥 웃자 고알피엠 여사는 덧붙였다.

"여자들이 참 이상해. 혼자 산다고 버들치 시인만 챙겨주고, 나 있다고 우리 낙장불입 시인은 안 챙겨줘."

낙시인이 그런 그녀의 말을 받았다.

"그럼 당신이 없어져 봐. 어떻게 되나." 순간 남편을 째려보던 알피엠 여사는 무언가 생각에 잠기더니 약간 처량한 척하는 목소리로 물었다.

"버시인님 우리 내일 집들이날인데 죽 남은 거 좀 가져가도 돼요?"

추신: 후에 누가 다시 버들치를 가져다주자 버들치 시인은 연못을 파고 경계심을 길러준다고 동자개(산메기, 혹은 빠가사리)를 함께 넣었다. 그 버들치들은 아직 잘 있다(는 설이 있다. 왜냐하면 경계심이 충만해진 버들치들이 낯선 사람들에겐 절대 얼굴을 보여주지 않기 때문이다).

화전놀이

11시 화전놀이를 위해 새벽에 서둘러 내려갔는데
누워 있던 버들치는 서울 것들이 잠을 깨운다며
"산이 떠내려가냐, 강이 증발하냐, 그렇게 살려면 서울서 돈 벌지
여기 뭐하러 와 있겠냐?" 한다.

화전놀이가 있다는 소식을 들은 내가 서울서 가만히 있을 리 없는 것은 당연했다. 요즘 하도 지리산에 데려가 달라는 사람들이 많아서 번호표도 뽑고 자동차 기름값도 받고 하려고 별렀는데 평일에는 역시 갈 사람이 많지가 않았다. 나는 화전놀이가 시작된다는 11시에 맞추어 버들치 시인 집에 도착하기 위해 전날 먹은 술이 깨지도 않은 새벽 6시 반부터 집을 나섰다. 속은 쓰려 오는데 그래도 시간에 맞추기 위해 지리산 갈 때마다 들르는 전주 왱이 콩나물 국밥집도 못 가고 열심히 갔다. 내비게이션에 나타난 예정 시간을 보니 거의 11시 15분쯤 도착할 것 같았다. 조금 늦더라도 기다려달라고 전화를 걸었는데 버들치 시인이 받지를 않는다. 지리산행마다 운전을 해주는 강남좌파 형이 액셀러레이터를 밟으며 말했다.

　"아마도 준비들 하고 그러느라 전화를 못 받나 보다, 너무 걱정마. 시간 안에 도착할 수 있을 거야."

　"가만, 사람들이 많이 올 텐데 버시인 마당에 차를 댈 수 있을

✤ 사람들이 부친 화전을 심사하는 버들치 시인(머리 흰 사람)의 모습이 사뭇 진지하다. 화전놀이든, 노래대회든, 그림대회든 심사는 모두 버들치 시인의 몫이다.

까?"

"맞아, 마당이 차로 꽉 찼을지도 모르니 마을 회관에 차를 대고 올라갈까?"

우리의 '서울스러운' 걱정은 버들치 시인 집의 텅 빈 마당에 들어서는 순간 이상한 느낌으로 바뀌었다. 벌써 진달래를 따러 산으로 떠났을 리는 없고 방문을 여니 버시인이 막 잠에서 깨어나고 있었다.

"오늘 화전놀이 때메 진달래 따러 산에 간다면서? 11시 아니었어?" 버시인은 졸려 죽겠다는 듯이 시계를 보더니 "그래? 11시라고도 하고 2시라고도 한 거 같은데 올 때 되면 오겠지" 하더니 도로 누워버렸다.

"아니 11시 아니면 12시는 이해가 가는데 어떻게 11시 아니면 2시야, 이게 말이 돼?" 내가 분해 죽겠다는 듯이 화를 내자, 버시인은 '뭐 이런 서울 것들이 잠을 깨우고 난리야' 하는 표정으로 일어나 앉았다. "아니 11시 아니면 2시가 어때서? 밥 안 먹으면 11시고 밥 먹고 오면 2시지…… 그런다고 지리산이 떠내려가나 섬진강이 증발하나? 다 기다리면 오는 법이야. 그렇게 살려면 서울서 열심히 돈 벌지 여기 뭐하러 와 있겠나?"

기다리면 물론 누군가가 오기야 하겠고 지리산도 거기 있고 섬진강도 유유히 흐르겠지만 내 속은 쓰리고 아팠다. 부엌으로 들어가 식은 밥에 물이라도 말아 먹으려고 하는데 전화벨이 울렸다. 다음은 버들치 시인과 어떤 스님의 일문일답이다. 엿들으려고 그런 것은 아니었지만 말이다.

땡초 저기 버시인 나 기억하겠소? 나 땡초요.

버시인 아 스님, 예 그동안 안녕하셨습니까?

땡초 저기, 낼 저녁에 내가 미인들 서너 분을 모시고 가서 차라도 한잔 먹고 싶은데 괜찮겠습니까?

버시인 (느긋하게) 스님 눈높이 안 믿어요. 미인 아니라도 좋으

❖ 꽃 따는 손도 고운 버들치 시인

니 그냥 데리고 오세요.

땡초 (당황하며) 아, 내가 예전엔 눈이 좀 낮았지만 이젠 안 그
래요.

버시인 (더욱 느긋하게) 글쎄, 어쨌든 오세요. 내일 화전놀이하
는데 그리로 오셔도 좋구.

땡초 (버럭 화를 내며) 글쎄, 내가 예전의 그 눈높이가 아니라니
까! 정 이렇게 나오면 나 안 갈거요!

버시인 %&*@

물 말아 먹던 밥알을 뿜을 뻔하며 내가 깔깔거리고 웃자 버시인은 어이가 없는 표정으로 전화를 끊었다. 그때 역시 부릉부릉 차소리가 높게 울리고 고알피엠 여사가 등장했다. 그리고는 나를 보고 반색을 했다. 다음은 고여사와 꽁지 작가의 일문일답이다.

고여사 아이고 은니, 일찍도 오셨네. 우리 집에 먼저 모셔서 차라도 드려야 하는데 내가 어제 우리 낚시인 친구들 불러서 집들이를 하느라고 허리가 아파서…….

꽁지 작가 (보기보다 성격이 꽤 깐깐함을 나타내려는 듯이) 그래? 메뉴는 뭘 차렸나?

고여사 (그걸 그렇게 꼬치꼬치 물어야 하냐는 듯) 그게 저 뭐냐, 족발, 광어회, 보쌈, 순대 그리고 김밥…….

꽁지 작가 (거 보란 듯이) 다 배달시켰구만.

고여사 김밥이 어찌나 힘이 들든지.

버들치 시인 (끼어들며) 또래 김밥집 아줌마가 힘들었지.

강남좌파 (너무 그러지 말라는 듯) 그래도 설거지하고 그러려면 힘들었겠지.

고여사 (강직한 낚시인의 부인답게 거짓말은 못한다는 듯) 그건 옆집 아줌마가 도와준다고 다 하셨는데.

꽁지 작가 근데 뭐가 힘이 들어?

고여사 그냥 집들이 함서 노래도 부르고 나중에 노래방도 가고 그런 것이……. 아유 그나저나 사람들은 왜 안 오나?

결국 2시가 되어 겨우 한 명이 더 추가되었다. 우리 다섯 명은
산으로 올라가 꽃을 따기 시작했다. 꽃잎을 따서 깨끗이 씻은 다음
물기가 마르지 않게 비닐봉지에 넣어 냉장고에 넣어두고 찹쌀가루
를 익반죽해서 하루를 숙성시키면 된다고 했다. 고알피엠 여사는
내게 다가와 투덜댔다. "은니, 이걸 왜 따서 씻고 냉장고에 넣고
이 힘을 들이냐 이 말이어요. 그냥 가지째 꺾어다가 화병에 꽂아
놓고 낼 화전 부치면서 하나씩 놓으면 좀 좋냐구요." 귀도 밝은 버
시인이 이 소리를 들었는지 "꽃 빛깔이 붉은 것을 골라!" 하고 소
리쳤다. 꼭 명절마다 유세를 떠는 큰동서 같았다.

그리고 다음날 섬진강변 공원에서 화전놀이 대회가 열렸다. 꽃
을 따러 간 사람은 다섯 명이었는데 먹으려고 모여든 사람은 거의
1백 명에 가까웠다. 고여사가 내게 "은니, 여기 화전으로 배불리러
오는 인간들 있으니 잘 감시해야 해요" 하고 주의를 주었다. 아이
들까지 모두 동원된 화전놀이가 시작되었다. 나는 "어제 꽃 딴 사
람은 빠집니다" 하고 누가 묻지도 않은 말을 하고는 막걸리 통 옆
에 앉았다. 누군가 내게 김치를 내밀었다. 쌉싸래한 향이 풍기는
맛. 올봄 집 앞에서 캔 민들레로 담근 김치라고 했다. 누군가 내게
다시 뜨끈한 것을 내밀었다. 섬진강 하구에서 잡은 재첩국의 국물
이 뽀얗게 우러나 있었다. 저기 강 너머 벚꽃이 길을 따라 폭풍처

✤ (위) 버들치 시인, (아래 좌) 다관 속의 홍매화, (아래 우)화전

럼 하얗게 휘몰아치고 머리 위에서는 자두꽃잎이 희게 흩날렸다. 요즘 시작해 재미를 붙인 트위터로 이 사진을 보내기로 하고 나는 고알피엠 여사와 함께 자두꽃을 민들레 김치 위에 흩뿌려 분위기를 더욱 진하게 연출하고 사진을 찍어 전송을 시작했다. 역시나 막걸리와 민들레 김치에는 반응들이 꽤 빨랐다. 당연히 사무실에 있는 출출한 우리 친구들 염장을 지르는 내 센스를 기뻐하며, 고알피엠 여사와 나는 버시인의 눈과 그의 지휘 아래 열심히 화전을 부치는 사람들의 눈을 피해 건배를 했다. 술이 참 맛있었다.

심사는 늘 버들치 시인이었다. 화전뿐 아니라 이곳에서 열리는 노래대회도 그림대회도 그랬다. 나이가 제일 많다는 이유로 거의 독재자의 지위를 누리고 있다고나 할까. 그런데도 버시인은 가끔은 자기가 나이가 많다는 것을 잊고 면사무소에서 '독거노인 실태조사'를 나왔다고 울먹이곤 했다. 더욱 황당한 것은 버시인이 항의를 했다는 것이다.

"저기 아랫집들에 나이 많은 분들 있잖아요. 난 이제 겨우 50일 뿐이라구요."

그러자 면사무소 직원이 대답했다고 했다.

"저분들은 혼거노인들입니다."

그날 버들치 시인이 새삼 얼마나 외로웠을까. 그러나 심사에 임하는 그는 심각하고 근엄한 얼굴이었다. 일등 이등 삼등 사등(상이 네 개뿐인 것을 알고 다섯 번째 사람부터는 참가하지 않았다)이 뽑혔다.

상품은 경주 법주 한 병, 크레파스, 그리고 물총이었다. 화전으로 애피타이저를 삼고 이윽고 점심식사 시간. 각자가 싸온 도시락을 펴기 시작했다. 고들빼기 김치, 유부초밥, 김밥과 갖은 나물. 우리의 도시락을 책임지기로 한 고여사가 차에서 부산스레 뭐를 꺼내고 있다. 어제 남은 족발이나 김밥을 가져왔나 싶어 바라보니 젓가락을 내밀었다. "우리 도시락은?"

내가 묻자 고여사는 방긋 웃으며 다른 사람들이 부지런히 펴놓고 있는 도시락 반찬들을 가리켰다.

"그런 거 부지런히 싸려면 서울서 살지 왜 여기 오겠어요? 은니 그래도 이 젓가락 좋은 거예요."

꽃은 피어 민들레 김치 위로 날리고 뽀얗게 재첩국은 우러난다. 갓 쪄낸 인절미처럼 말캉한 강아지들이 아이들과 뛰노는데 이보다 더 좋을 수 없는 봄날이 그렇게 가고 있었다.

기타리스트의 귀농일기

· · ·

낙원상가에서 장사하던 기타리스트
농사짓고 닭 키우다, 다시 기타를 잡는데…

하동에는 유명한 말이 있다. 면사무소의 직원들이 앉아 있다가 개량한복을 입고 누군가 들어서기만 하면 어깨가 빳빳하게 굳어진다는 것이다. 분명 그는 귀농자이고 분명 그는 이 농정에 대해 심각한 불만을 가지고 있고 분명 그는 한 시간이 넘도록 조목조목 불합리에 대해 따질 것이고 분명 그는 그것이 잘 실현되는지 아닌지 감시를 계속할 것이고 분명 그는 이 과정을 자기네 무슨 인터넷 카페인지에 다 올려 면사무소의 노 아무개, 박 아무개가 어떻게 일을 처리하는지를 중계방송할 것이기 때문이었다.

하동에는 또 유명한 말이 있는데 여름 아침 자기네들로서는 엄청 일찍 일어나 8시부터 논에 나간 사람들이 풀을 뽑고 있으면 그건 필시 도시에서 귀농한 젊은이들이라는 것이다. 여름에는 해가 솟기 무섭게 날이 뜨거워지고 여름 아침 9시만 되어도 땀에 옷이 비 오듯 젖었다. 그들이 열심히 풀을 뽑고 있으면 옆집 노인이 지나가며 말했다. "아유 젊은 사람들이 부지런도 허네 그려." 처음엔

✤ 동네밴드의 공연 모습. 탬버린을 든 이가 버들치 시인, 선글라스를 낀 채 열창하는 보컬이 고알피엠 여사다. 공연은 대성공이었다.

그게 당연히 칭찬인 줄 알던 그들이 그게 놀리는 말이라는 것을 아는 것은 대개 그로부터 3년이 지난 후의 일이라고 한다. 농부들은 새벽에 일어나 해가 떠서 뜨거워지기 전에 김을 매고 한낮에는 쉬거나 실내에서 일하니까 말이다.

그 두 사람은 산에서 처음 만났다. 여자는 사려 깊고 조용한 편이었고 남자는 열정적이고 달변이었다. 대개 이런 두 남녀가 만나면 자석의 다른 극과 같이 끌리기 마련이어서 둘은 곧 사랑에 빠졌고 가정을 꾸렸다. 그들에게는 공통적인 꿈이 있었는데 나이가 조금 들면 산에 가서 살자는 것이었다. 누구라도 그러하듯이 그게 어떤 산인지 그날이 언제인지 물론 그들은 알지 못했지만 말이다. 사려 깊고 조용한 여자는 안정을 원했고 열정적인 남자는 자유를 원했다. 남자는 머리를 엉덩이까지 내려오도록 기르고 기타 하나 멘 채 서울 낙원상가에 있는 자신의 조그만 중고 악기상과 인천의 집을 오갔다. 퇴근 후에는 부지런히 밤무대에서 기타 연주도 했다. 원래 그의 꿈은 기타를 치면서 사는 것이었는데 그 꿈이 이루어진 것 같았다. 장사도 그럭저럭 잘되었고 밤무대 수입도 괜찮았다. 그러나 말이 별로 없던 아내는 홀로 집을 지키며 조금씩 시들어갔다. 게다가 나이 서른 중반에 아토피 피부염에 시달리게 되었다. 아토피라는 병은 딱히 약도 없는 불치병 아닌 불치병이었다. 어느 날 부인은 혼자서 산으로 가겠다고 선언했다. 등산을 다녀오다가 지리산 자락에 봐둔 집이 있다는 것이었다. 그래서 그들은 지리산 자락에 집을 사게 되었다. 인천 아파트의 전셋값을 빼고 나니 겨우 돈이 맞춰졌다. 혼자 산으로 온 부인은 쓰러져가는 원래의 농가에 살면서 그 집 마당 한 귀퉁이에 집을 짓기 시작했다. 사람을 불러 집을 지을 돈이 없었으므로 충청도에서 목수를 하는 오빠들을 불러 주말에만 조금씩 지어가는 집이었다. 남자도 주말이면 내려와 그들을 도왔다. 작은 집은 장장 1년 반 만에 완성되었다. 그러나 집이 완성된 것보다 더 큰 기쁨이 있었는데 부인의 아토피가 나아가기 시작했고 드디어 완전히 나은 일이었다.

남자는 아직 서울에 머물고 있었다. 인터넷의 보급으로 사람들이 중고 악기를 직거래하기 시작하면서 그의 가게는 급격히 기울기 시작했다. 그는 산에도 가고 싶었지만 패배한 채로 가고 싶지는 않았고 그래서 혼자 애를 쓰고 있었다. 사려 깊고 조용한 부인은 그를 기다려주었다. 그러나 그 혼자 아무리 노력한다고 해서 이미 흘러가버린 물줄기가 돌아올 리는 없었다. 사업은 완전히 망해버렸다. 그는 쫓기듯 지리산으로 내려와 멀리 형제봉을 바라보며 담배를 피워대기 시작했다. 하지만 열정적인 남자는 인터넷을 좀 두드려보더니 결심을 한 듯 이웃에게 세 마지기의 논과 밭을 빌렸다. 머리도 단정하게 잘랐다. "그래, 귀농이닷! 자연이닷! 땅을 살리잣! 유기농이닷!" 캐치프레이즈는 좋았지만 글쎄.

두 부부는 아침 일찍 일어나 논과 밭으로 갔다. 딴에는 열심히 일찍 일어나 얼른 밥 먹고 세수하고 일터로 나간 것이었는데 여름 아침 9시만 되어도 땀에 옷이 비 오듯 젖었다. 그들이 열심히 풀을 뽑고 있으면 옆집 노인이 지나가며 말했다. "아유 젊은 사람들이 부지런도 허네 그려."

유기농 좋고 땅을 살리는 것도 다 좋고 생명과 함께하는 농업 좋은데 그 두 부부는 죽을 지경이었다. 게다가 밤이면 생활 한복 입고 이웃의 귀농자들과 모여 농촌을 이리 살려보고 저리 살려보느라 컬컬한 목을 여러 잔의 술로 축이노라면 동이 훤하게 텄다. 이웃 농부들이 부지런히 일터로 가는 소리가 들리면 얼른 이불을 뒤집어썼다. 아토피는 나았지만 잡초에 지쳐가던 아내가 말했다.

"여보 자연은 살리는데 내가 죽겠다. 이러니 제초제 뿌리는 농민들 이해가 가……."

세상의 모든 잡초는 다 자기 논으로만 오는 것 같았다. 벼 사이에 돋아난 피를 뽑고 피를 뽑고 피를 뽑았다. 그렇게 일을 하고 있으면 휴대폰으로 친구들이 전화를 했다.

"얀마 뭐하나?"

"피 뽑는다."

그러면 잠시 그쪽에서 머뭇거리다가 울먹이는 소리가 들렸다.

"얀마…… 다시 서울로 와라, 너 거기서 피 팔아서 살 만큼 그렇게 어려워진 거냐?"

가을이 되자 그래도 벼는 익어갔다. 흐뭇했다. 콤바인을 빌려 추수를 해야 하는데 낮에 면사무소에 잘못된 행정에 대해 항의하러 갔다가 〈농촌 소득 증대를 위한 세미나〉에 참석하고 저녁에는 귀농자들이 주선하는 〈정부의 잘못된 농촌 정책 비판대회〉에 참여하다가 보니 차일피일 그 시기를 놓치고 말았다. 구례와 하동 들판에 다른 집 논은 다 새로 이발한 듯 깨끗이 추수가 끝났는데 여기저기 아직 추수 못한 논들이 부스럼 딱지처럼 남아 있었다. 그게 거의 귀농자들의 논이었다. 다른 사람들의 논에서 탈곡한 벼 이삭들이 도로 가장자리에서 노릇노릇 말라가고 있는데 귀농자들의 논의 벼들은 하는 수 없지 않겠냐는 듯 우두커니들 서 있었다. 지나가던 노인들이 말했다.

"참 신기허네. 요즘 배운 사람들은 벼를 선 채로 말리네 그려."

첫해 수확을 헤아려보니 그래도 담뱃값은 했다. 3년 후 세 마지기 빌렸던 논은 두 마지기가 되었다가 한 마지기로 줄었다가 드디어 텃밭만 남고 다 사라졌다. 생활은 어려워졌다. 부인은 그에게 투정하지 않았으나 그는 술만 마시면 소리소리 질렀다. "자기야 걱정할 거 없어. 우린 여기 지리산에서 버들치 시인이나 낙장불입 시인처럼 자발적 가난하는 거야! 걱정하지 마! 엉? 자발적 가난이라고! 높고 외롭고 쓸쓸하게!"

부인이 말했다. "여보 여기 지리산이라 높은 건 맞는데, 당신은 매일 밤마다 다른 사람들이랑 농촌 살리느라 외롭지는 않잖아. 쓸쓸한 건 나고."

그는 닭을 키우기로 하고 우선 토종 병아리 세 마리를 얻어왔다. 벼농사의 뼈아픈 경험을 잊지 않기 위해 절대 처음부터 많이 벌리지 않겠다는 것이 그의 결심이었다. 수탉 한 마리에 암탉 두 마리 그리고 조금씩 불려나간다. 그다음 자유로운 영혼을 가진 …… 세상에서 가장 친환경적인 닭이 키워진다. 그래서 그는 우선 계사부터 큼직하게 지었다(그의 집에 처음 갔을 때 나는 아침에 혼자 깨어나 마당에 나갔다가 이렇게 좋은 정자가 있네 하고 올라갈 뻔했다. 계사는 궁궐 같았다). 지나가던 노인들이 말했다. "참 신기허네. 요즘 배운 사람들은 닭장도 양옥으로 짓네 그려."

❖ 기타리스트가 키우는 두 마리 수탉

열심히 먹이를 주어서 키웠지만 막상 다 자란 것들을 보니 병아리는 암탉 한 마리에 수탉 두 마리였다. 당연히 힘센 수탉이 약한 수탉을 공격하게 되었고 그 삼각관계에서 스트레스를 받았는지 암탉 또한 알도 시원치 않게 낳았다. 벼슬이 붉고 깃털이 서슬 푸른 멋진 수탉 두 마리에 암탉 한 마리가 있는 건 모양도 사나웠다. 그는 궁리 끝에 암탉을 더 사서 넣기로 했다. 그는 암탉을 사러 길을 나섰다. 노인들이 그에게 어딜 가냐고 묻자 그가 자초지종을 설명했다. 그러자 노인들이 말했다. "참 신기하기도 허네. 배운 사람들네 수탉은 암컷들이 새로 오면 그동안 독수공방한 수탉에게 양보를 하나 보네."

새로 산 암컷들이 들어오자 힘센 수탉은 새로 들어온 암탉들까지 다 차지해버렸다. 그는 아바의 노래 〈위너 테이크스 잇 올〉을 생각했다. 어쩌면 아바도 잠시 양계를 해보았었나. 낙천적인 그는 생각했다. "거꾸로 이야기하면 나도 아바가 될 수도…… <u>흐흐흐흐</u>."

일은 뜻밖의 곳에서 풀렸다. 버들치 시인이 그가 기타를 기가 막히게 연주한다는 것을 알고 동네밴드의 리드기타를 제의해온 것이었다. 그의 눈이 빛나기 시작했다. 그렇게 동네밴드를 결성하고 첫 공연이 있었다. 공연은 대성공이었다. 그는 바빠지기 시작했다. 구례에서 하동까지 유치원생에서 60대 노인까지 그에게 기타 레슨을 제의한 것이었다. 얼마 전 만난 그는 싱글벙글이었다.

"여기서 다시 기타를 치게 될 줄 누가 알았을까? 산에서도 살고 기타도 치고 그걸로 밥도 먹고 참으로 더 바랄 것이 없어. 그래서 내가 감사하는 마음에 십일조를 내려고 얼마 전에 진보신당에 가입했어."

그때 그의 휴대폰에서 문자 오는 소리가 들렸다. 잠시 그것을 들여다보던 그가 투덜거렸다.

"진보신당에서 문자 왔네. 아니 가입했으면 됐지, 왜 자꾸 문자 보내고 그래……. 이 사람들이 아주 열심이네……. 참 나 그렇게 열심히 정당 일 하려면 내가 서울서 살지 뭐하러 여기 와 있어?"

그리고는 어제 한 사람의 귀농자가 여기를 떠났다며 시무룩한 표정을 지었다.

"왜?" 내가 묻자 그는 태연히 대답했다. "다른 데는 몰라도 부지런한 사람은 여기서는 못 버텨." 내가 의아한 표정을 짓자 그가 다시 말했다.

"부지런히 일해서 악착같이 모으려면 서울서 살지 뭐 하러 여기 오냐고. 놀멘 놀멘…… 그런 사람들이 여기 귀농에 성공하는 거여."

'스발녀'의 정모

집 나간 딸 찾아 화개 장터에 나타난 뿔이 난 장모는
결국 지리산 자락 계곡에 취해 한마디 내뱉는데…

낙장불입 시인의 집들이가 있던 날 약속시간보다 조금 이르게 두 명의 여자가 도착했다. '스발녀' 혹은 '자발녀'의 임원인 그녀들은 마침 낙시인 집에 모이는 김에 정모(정기모임)를 개최하기로 통지를 해둔 터였다. '스발녀' '자발녀'란 '스스로 발등을 찍은 녀들의 모임' 혹은 '자기 발등 자기가 찍은 녀들의 모임'의 약자이다. 처음에 이 '스발녀' 모임은 꽤 성황을 이루었는데 이런저런 사정으로 멤버들이 하나둘 빠져나가고 지금은 회장과 부회장만 남아 겨우 명맥을 유지하고 있는 딱한 형편이었다. 통지를 받은 것이 틀림없건만 멤버는 모이지 않았다. 새로 이사한 낙시인의 집 멀리 섬진강이 흐르는 것을 본 부회장여사는 강아지 얼씨구와 노는 아이를 마당에 내버려두고 혼자 회상에 잠겼다.

그녀는 지리산에 놀러 왔다가 우연히 만난 조각가와 사랑에 빠졌고 이내 그가 사는 움막에 숟가락 두 개 들고 들어가 살림을 시작했다. 애지중지 키운 딸의 행방을 묻던 어머니가 물어물어 지리

❖ '스발녀'의 부회장여사가 지리산에 놀러 왔다가 우연히 사랑에 빠진 조각
가와 도망친 지리산 계곡. 이 천연의 수영장에서 '장모와 사위'는 민망한 첫
대면을 했다.

산 자락에 나타났다는 첩보가 입수되자 그녀는 남편과 함께 지리산 계곡으로 도망쳤다. 도망쳤다고 했지만 워낙 더운 날이어서 소에 먹을 감으러 간 것이었다. 그곳은 이곳 사람들만이 아는 외지고 멋진 자연 수영장이었다. 나도 한때 친구들과 거기 간 적이 있었다. 친구들은 대체 나를 여자라고 생각을 하는지 안 하는지 팬티만 입고 수영을 하기 시작했다. 화가인 내 친구는 하필이면 거기서 내게 수영을 가르쳐달라고 졸랐다. 에라 모르겠다 바지와 티셔츠 채로 물에 뛰어드니 세상이 즐거워졌다.

한편 그 시간 그녀의 어머니는 노트 크기만 한 딸의 사진을 가지고 화개장터에 서 있었다. 딸의 행방을 알 만한 젊은이들을 찾는 것은 쉬웠다. 게으르게 생기고 놀기 좋아하게 생긴 젊은 것들은 눈에 확 띄었으니까 말이다. 어머니는 두건을 멋지게 쓰고 기타를 메고 지나가는 젊은 남자의 앞을 가로막으며 딸의 사진을 내밀었다. 그리고 그녀의 장대한 기골로 깡마른 젊은이를 내려다보며 위엄있게 말했다. "얘는 내 딸이다. 지금 어디 있는지 대라! 아니면 내 딸을 찾을 때까지 나와 같이 지리산 구석구석을 헤매다니게 될 거다."

기타를 멘 젊은이는 울상이 되어 여기저기 전화를 걸었다. 젊은이의 안내로 산속 좁은 길로 들어서 한참을 올라가는데 모퉁이를 돌자 선녀들이 목욕을 했을 것 같은 푸르고 깊은 소가 거짓말처럼 나타났다. 불시에 습격을 받은 듯 수영을 하던 젊은이들이 숨을 멈

추었다. "아싸!" 어머니는 짧은 탄성을 지르더니 옷을 훌훌 벗고 팬티와 브래지어 바람으로(뭐 어떻게 보면 비키니 차림이라고나 할까 쩝!) 뛰어들었다. 그리고 헤엄을 치기 시작했다. 그리고 잠시 후 물속에서 솟구쳐오른 어머니는 그제야 두리번거리며 딸을 찾았다. 팔다리가 긴 게 게을러 빠지게 생긴 녀석 뒤에 딸이 숨어 있는 게 보였다. 어머니는 조각가 등 뒤에 숨어 있는 딸을 향해 말했다.

"시원허니 살 만하네……. 이만하면 괜찮다."

그리고 그날 처음 물속에서 대면한 사위는 한나절을 내내 민망한 차림의 장모와 먹을 감다가 시원하게 결혼 허락을 받아냈다. 부회장여사는 세상이 내 것 같았다. 자발적 가난이라니 너무 멋졌다. 하지만 곧 돈이 다 떨어지고 각종 고지서들이 쌓이고 휴대폰이 발신 금지가 되었다. 남편은 여전히 작품 구상 중이었다. 그러던 어느 날 남편이 다시 조각도를 잡았다. 부회장여사가 반색을 하자 남편이 말했다. "낼부터 착신도 금지래. 그럼 안 되지." 그의 말에 따르면 "주문을 받아야 하니까, 전화는 받아야 한다"는 것이지만 대개는 기타리스트 집에 병아리 사왔다고 한잔, 버들치 시인 집에 차 닦는다고 가서 한잔하자는 전화를 받기 위한 것이었다. 부회장여사는 그런 생각만 하면 한숨이 나왔지만 그래도 회장여사보다는 낫다고 생각하기로 했다.

회장여사의 사연을 보자. 회장여사는 서울의 여대 4학년생이었던 7년 전 어느 날 친구가 찾아와 짝사랑하는 사람을 찾아가는데

✤ 밥알처럼 하얀 이팝나무 꽃이 환하게 만개했다.

함께 가달라는 부탁을 받았다. 친구가 사랑하는 그는 지리산 자락에서 그림을 그리고 있는 천재 화가라고 했다. 그녀는 친구 따라 낙장불입 시인의 집에 도착했다. 차마 누추한 자신의 집에 귀한 여자분들을 모실 수가 없다고 낙시인의 집으로 오라고 한 것이었다. 그날따라 낙시인은 바쁘다고 집에 없고, 고알피엠 여사도 당연히 집에 없었다. 주인 없는 빈집에서 셋이서 술을 마셨다. 잠시 후 친구는 사모하는 마음에 달뜬 심장을 진정시키려고 벌컥벌컥 들이켠 술을 못 이기고 그만 옆으로 쓰러져버렸다. 외딴 집 밖으로 보슬보슬 비가 내리고 있었다. 처음 만난 남자와 할 말도 없었고 주변은 너무 조용했다. 회장여사는 자리에서 일어섰다. 친구와 천재 화가에게 오붓하게 둘만의 시간을 주고 싶었던 거였다. 그녀는 낚시인이 돌아올 때까지 산책이라도 하겠다고 길을 나섰다. 그러자 화가는 비오는 날 밤이면 호랑이가 사람을 해친다는 근거 없는 소문이있다며 따라나섰다. 인생이 늘 그렇듯 꼬이지 말 곳에서 일은 꼬이고 젊은 둘 사이에 무슨 일인가 벌어진 모양이었다. 그런데 두 사람이 돌아왔을 때 창문은 열려 있었고 술에 취한 친구는 산중에서오랜만에 고기 맛을 본 모기떼의 습격을 밤새 당해 얼굴이 멍게처럼 울퉁불퉁해져 있었다.

"이 나쁜 기집애! 문을 열어놓고 가려면 모기장이라도 치고 가야지!"

사랑에 울고 모기에 뜯긴 친구의 고함소리를 들으며 회장여사는 사랑과 우정 사이에서 사랑을 택해야 하는 자신의 운명을 감지했다. 그리고 가난뱅이 화가에게 딸을 줄 수 없었던 부모와 사랑사이에서 역시 사랑을 택하여 지리산 폐가, 화가가 살던 곳에서 살림을 차렸다. 회장여사의 부모 역시 물어물어 이들을 찾아온다.

지리산과 섬진강에 사는 사람들(이하 섬지사)이 모였다. 화가가사는 폐가로 도저히 부모님을 모시고 갈 수는 없었다. 그들은 쌍계사 밑 제일 분위기가 좋은 찻집으로 부모님을 오시라고 하고 버시인이 모두에게 문자를 보냈다. "모두들 제일 좋은 옷을 입고 와라." 양복에 넥타이, 아껴둔 붉은 셔츠 등을 입은 사람들이 모였다. 버시인이 다시 말했다. "가서 차라리 그냥 입고 있던 옷 입고 와라. 더 촌스럽다." 부모님은 사위 될 사람의 얼굴을 보더니 미심쩍다는 듯 "집으로 가자"고 말했다. 화가의 집은 자동차도 자전거도 바이크도 들어갈 수 없는 산꼭대기. 숨이 차게 그곳까지 올라온 부모님은 어이없다는 듯이 화가와 딸을 바라보았다. 모두들 말이 없었다. 화가가 말했다.

"그래도 전망은 좋습니다."

그 말을 신호로 장모의 눈에서 눈물이 주르르 흘렀고 아버지가 딸의 손을 끌어당겼다. 그런데 그렇게 끌려간 딸은 5개월 만에 다시 도망쳐 나와 꿈에도 그리던 남자의 품에 안겼다. 이들의 사랑을 딱하게 여긴 섬지사 사람들은 30만 원을 추렴했다. 그리고 날을 받아 섬진강 모래사장에 대나무 가지를 꽂은 상을 차리고 따로 돼지도 한 마리 잡았다. 버들치 시인의 축시가 있고 나서 주례사를 할 차례였다. 어제 먹은 술이 깨지도 않은 데다가 난생 처음 주례를 선다고 아침부터 이 사람이 한잔 저 사람이 한잔 주는 술을 먹은 주례선생은 기분이 좋았다. 그는 그래서 듣는 사람이 영원히 잊지 못할 간단하고 명료한 주례사를 했다.

"잘 먹고 잘살아라, 이 ×× 년놈들아!"

신혼여행은 섬진강 일주. 야생 꽃으로 장식된 거룻배가 강변에 도착했다. 회장여사 부부가 타고, 기념사진을 찍기 위해 지리산 사진작가가 동승했다. 그리고 이 모든 것의 행정적이고 공식적인 증

언 및 거룻배 수거를 위해 이 동네 진보정당 지구위원장이 동승했다. 그는 전국 최연소 국회의원 입후보 및 낙선 기록을 가지고 있는 젊은 정치인이었다. 그는 이 거룻배를 빌리는 데 결정적 도움을 준 사람으로서 나중에 도로 거룻배를 제자리에 가져다 놓는 임무를 맡고 있었다. 그렇게 꽃 배는 섬진강을 흘러갔다.

"결혼사진 참 좋았지! 이 양반이 서울서 이런 결혼사진 찍으면 엄청 비싸게 받는다네."

고알피엠 여사가 말을 건네자 회장여사는 한숨을 내쉬며 말했다.

"그런 말씀 마세요. 형님 제 발등 찍은 거 퉁퉁 부어올라 다른 건 눈에 들어오지도 않아요."

'스발녀' 회장직을 몇 년째 내놓지 못하고 있는 회장여사 눈에 눈물이 고였다.

"여자들이 이래선 안돼요. 단결을 해야지요. 남편이 조금만 잘해주면 이 모임에 나오지도 않고……. 형님만 해도 그래요. 분홍색 이불 이고 지고 온 것이 결국 지 발등 지가 찍은 거라고 얼마나 한탄을 하셨어요. 그런데 형님마저 이 모임에 소원하시니……."

그러자 고알피엠 여사가 정색을 했다.

"이 사람이 지금 무슨 야글 하는 거야? 내가 언제 이불을 이고 지고 와? 그건 어디까지나 구호품 차원이었고……. 나로 말하자면 나는 싫다는 걸 낚시인이 하도 매달리니까…… 말하자면 나는 모임을 만들려면 '남발녀'나 만들어야 해. 남편의 지극한 사랑에 하는 수 없이 발등을 찍은 여자……들의 모임! 호호호홋!"

회장여사가 입을 삐죽였다.

"보수는 부패로 망하고 진보는 분열로 망한다더니. 우리가 진보는 진본가 보네."

그날 밤, 그 모텔에선

. . .

꽁지 작가 신고에 출동한 경찰, 남자를 연행해가고
다음날 아침 전전긍긍한 남친들 첫 닭이 울기 전에 길을 나서는데…

그날 왜 우리가 버들치 시인의 아늑한 집과 낙장불입 시인의 좋은 집을 두고 그 모텔에 들게 되었는지에 대해서는 설명이 필요하다.

  먼저 낙시인 집에는 언제나 그렇듯 가족단위의 주말 꽃놀이 인파가 몰렸고 그래서 우리가 가족단위의 손님들에게 그 집을 양보(?)하기로 했던 것이다. 낙시인은 우리를 보러 모텔로 왔고 고알피엠 여사는 집에 있으면 손님들에게 밥이라도 해주어야 하니 "은니, 보고 싶어서 왔어요" 하면서 모텔로 왔다. 선약이 있다며 이번에는 못 만나겠다는 버시인이 나타난 것은 더 의외였다. 서울에서 한 출판업자가 내려온다는 전화를 받고 집을 탈출한 것이다. 듣기에 따라서는 버시인이 계약금만 받아먹고 글을 안 주었나 싶지만 오히려 계약금을 들고 내려오고 있다는 소리에 혼비백산 우리에게로 피신을 한 것이었다. 돈 준다는데 싫어하는 사람이 어딨어? 누가 묻거든 이분을 소개하시면 되겠다.

✤ 사람들이 야단법석을 떠는 동안에도 보리는 익어간다. 자연은 늘 그렇듯 순리를 따른다.

버시인은 일전에 시골 생활 이야기를 산문으로 낸 적이 있는데 누군가에게서 "시인이 시는 안 쓰고 산문이나 써서 돈 번다"는 이야기를 듣고 깊은 상처를 받았다. "누가 그런 말도 안 되는 소리를 해?" 하고 우리가 그를 위로했지만 그는 산문을 쓰지 않겠다고 고집을 부리고 있었다. 하지만 생각해보면 그건 참 어렵고도 딱한 일이었다. 시 한 편의 고료가 얼마인지 아시는지. 보통 3만 원, 특급 대우를 하는 곳이 7만 원이다. 그나마 시를 세 편 정도 실으면 9만 원을 받는데 책이 나오고 난 뒤 담당 편집자가 전화를 해서 슬픈 목소리로 "선생님, 아시다시피 우리 잡지가 사정이 안 좋아서 그러는데 원고료 대신 정기구독 2년 넣어드리면 안 될까요?" 한다.

대체 단군 이래로 시문학지가 사정이 좋은 적이 있던가, 생각하면 우습기도 하지만 우리의 버시인, 낙시인이 "그건 절대 안 됩니다. 현금이 최고니 현금으로 주십시오" 할 사람은 아니니 가난한 그들의 집에는 온갖 종류의 문학지가 배달된다. 그렇게 해서 1년에 많이 쓰는 경우 열 편, 가장 원고 청탁을 많이 받으시는 신경림 선생 정도가 많아야 1년에 스무 편을 발표하니 시만 써가지고는 휴대폰 하나 간수하기가 힘든 것이 현실이다. 연탄에 관한 시로 유명한 시인이 어떤 대담에서 "누가 내게 한 달에 최소한의 생활을 할 수 있는 돈만 준다면 나는 밤을 새워 시를 쓸 거야, 정말 열심히 매일매일 시를 쓸 거야" 하는 말을 듣고 마음이 짠했던 기억이 났다.

오랜만에 낯선 객실에 둘러앉으니 좋았다. 창 아래로 섬진강도 흐르고 맥주와 소주도 잔뜩 준비되어 있고 낮에 어여쁜 꽃도 실컷 보았고, 친구들은 섬진강 물보다 풍성한 이야기들을 나누고 있었다. 9시 뉴스가 막 끝나갈 무렵이었을 것이다. 고알피엠 여사가 먼저 일어섰다. 피곤하니 여자들 용으로 얻어둔 옆방에 가서 쉬겠다는 것이었다. 그녀가 일어나는 김에 나도 일어서려는데 열린 창틈으로 이상한 소리가 들려왔다. 무심히 창문 밖을 내다보는데 주차장에서 한 남자가 여자를 때리고 있는 것이 보였다. 순간 내 속으로 엄청난 갈등이 지나갔다. 남의 사생활에 꼭 간섭을 해야 할 필요도 없었고 모처럼 바쁜 주말을 쪼개어 이곳에서 재미있는 시간을 보내는 친구들의 달콤한 휴가를 깨는 것도 가책이 되었다. 하지만 갈등은 머리의 일이었고 내 입은 힘차게 악을 쓰고 있었다.

"야, 이 나쁜 놈아, 너 뭔데 여자 때려? 그만하지 않으면 신고할 거야!"

때리던 남자가 어이가 없다는 듯 3층에 선 나를 올려다보았다. 당연히 겁이 났지만 남자친구들이 있으니 괜찮겠지 싶어 돌아보는데 이 친구들은 나를 엄호해서 정의를 바로잡을 생각은 안 하고 역시나, "에효, 꽁지 때문에 이번 여행도 또 시끄럽구나" 하는 기색이 역력했다. 남자는 내 일행들의 미지근한 반응을 눈치 챘는지 다시 여자를 때리기 시작했다. 나는 112 버튼을 눌렀다. 그때 옆방에서 악을 쓰는 소리가 들려왔다. 고알피엠 여사였다.

"이 자식이 여기가 어디라고 와서 여자를 패, 패긴! 빨리 그만두지 않으면 신고한다."

나도 소리쳤다. "신고했어, 이 나쁜 놈아! 너 이제 혼날 거야."

남자가 우리를 째려보았다. "이 아줌마들이 왜 반말이야? 엉?"

그러자 옆방에서 고알피엠 여사의 대꾸가 들렸다. "그러니까 때리지 마시라고요. 때리지 마시란 말이에요."

우리가 소리를 지르든 말든 남자는 아랑곳하지 않았다. 나와 고알피엠 여사는 그의 폭력을 방해하며 꾸준히 훈계를 해댔다. 남자가 다시 창을 올려다보더니 두 손으로 귀를 막으며 소리쳤다.

✿ 섬진강 지류 서시천변 '그 사건'의 현장. 맨 왼쪽 건물이 문제의 모텔이다.

"아아! 귀 따가워……. 정말 시끄러워 죽겠네. 이것들이 창문마다 하나씩 붙어서 방방이 지랄이네. 너희들 거기 있어. 내가 간다!"

남자는 빠르게 모텔로 휘익 들어서고 있었다. 가슴이 철렁했다. 지금 생각해보면 남자가 고맙다. 간다! 하고 미리 경고를 했으니까 말이다. "큰일났어, 피해." 내가 돌아보며 외치는데 남자친구들도 모두 귀를 막고 있었다. 내가 발을 동동 구르자 먼저 낚시인이 자신의 아내를 지키기 위해 옆방으로 뛰어갔다. 남자친구들은 문을 잠그고 숨을 죽인 채 겁먹은 얼굴들이었다. 차라리 내가 의연해

져야 한다는 사명감까지 들었다. 밖에서 남자가 맥주병을 깨고 난동을 부리는 소리가 들렸다. 아무래도 저 인간이 이 문을 부수고라도 들어온다면 내 남자친구들은 아마도 "얘가 그랬어요" 하고 나를 가리킬 태세였다. 어느 방인지 우리를 찾지 못한 남자는 잠시 후 다시 주차장으로 내려왔다. 그리고 우리에게 못 낸 화풀이라도 하듯이 여자를 더 패기 시작했다. 나는 다시 한 번 112에 전화를 걸었다. 경찰은 가고 있다는 말만 되풀이했다.

"아줌마들이 번갈아 전화하고 난리네. 대한민국 경찰이 오빠다방 면양인 줄 아나? 좀만 기다리시라고요."

잠시 후 경찰이 도착했다. 남자는 여자를 때리면 경찰이 출동할 수 있다는 것을 몰랐는지 몹시 당황해하는 것 같았다. 아마 그렇게 여자를 패도 아무도 신고하지 않는 곳에서 쭉 편하게 살아온 것 같았다. 경찰이 도착하자 그제야 남자친구들은 창문가로 가서 소리를 질렀다.

"에잇 나쁜 놈, 세상에 때릴 게 없어서 여자를 때려?"

"운 좋은 줄 알아라, 경찰이 일찍 왔으니까 망정이지 내가 내려가서 손 좀 봐주려고 그랬다, 인마."

경찰의 질문에 대꾸하던 남자가 빠르게 우리 창을 째려보았다. 소리를 치던 남자친구들이 입을 얼른 다물었다. 그리고 잠시 후 한 사람이 낮게 말했다.

"만일 경찰이 저 남자를 데리고 가지 않으면 어떻게 하지? 그러니까 훈계만 해서 보낸다거나 하면 우리는 어떻게 해?"

버들치 시인의 얼굴이 해쓱해졌다.

"그러면 안 되지. 우리를 찾아내기라도 한다면……. 그러니까 경찰에 가게 해야지."

"어떻게?"

잠시 생각에 잠겼던 버들치 시인이 무슨 결심을 했는지 뚜벅뚜벅 문을 열고 복도로 나섰다. 우리는 모두 창문에 붙어서 무슨 일이 벌어지는지 보고 있었다. 버시인이 경찰을 불러 무언가 낮게 밀담을 나누었다. 버시인은 장황하게 설명을 하고 경찰은 고개를 이리저리 갸우뚱거리다가 이윽고 고개를 끄덕였다. 그러고 보니 버시인이 여기 군수와 잘 안다고 했고, 경찰서장과도 안다는 소리를 들은 것 같았다. 잠시 후 버시인이 들어왔고 남자는 경찰차에 실려 가고 있었다.

"뭐라고 했어? 오늘 밤에 돌려보내면 안 된다고 했지?"

"군수하고 안다고 했어?" 우리가 물었다. 버시인은 잠시 큰기침을 하더니 말했다.

"내가 시인이라고 했지. 여기 사는 버들치 시인인데 지금 서울에서 꽁지 작가가 기자들을 데리고 섬진강에 왔다고 했지."

우리는 어리둥절 버시인을 바라보았다. 그게 무슨 말일까. 나는 작가 맞고 내 친구들은 기자가 맞긴 했다.

"그랬더니 꽁지? 버들치? 하더니, 잘 모르겠는데 혹시 그 명작

《육담》의 저자세요? 하잖아, 그래서 에잇 그건 아니지만 꼭 그래야만 한다면 그럴 수도 있고 아닌게아니라 여기 그 저자가 있기는 한데……. 그러니까 알았다고 걱정 말라고 하더라."

글씨로 써놓으니 시간이 짧아 그렇지, 직접 들으면 천천히 받아쓰기를 두 번 해도 될 빠르기로 버시인이 말했다. 이곳 경찰이 그 말을 끝까지 듣다니 참 무던도 했다.

다음날 아침, 내 친구들은 내가 그들을 본 이래로 가장 일찍 일어나 부지런히 길을 나섰다. 이곳 경찰서에서는 보통 아침 8시 반쯤 전날 연행된 사람들이 훈방된다는 정보를 들은 까닭이었다.

사람들이 법석을 떠는 동안에도 밤새 더 익어간 보리가 후드득 후드득 웃고 있었다.

✤ 4월 중순, 아침부터 사람들은 부지런히 찻잎을 딴다.

그 사람은 어디쯤 가고 있을까

:

낙향한 L선배, 사랑 때문에 눈물을 보이고
"진정한 사랑은 사랑하는 사람을
원하는 곳으로 보내주는 거야" 한다.

봄날이었다. 불현듯 잠에서 깨어나 "더도 덜도 할 수 없는 봄날이야." 전화를 했더니 낙장불입 시인은 언제나처럼 흔쾌히 "그럼 내려와!" 하는 것이었다. 마침 철쭉을 보러 산행을 하기로 했다는 것이다. 급한 마감만 챙겨두고 나는 쏜살같이 지리산으로 갔다. 심해어족 출신으로 걸어서 4백 미터 고지 이상 올라가면 바로 고산병이 도지는 사람인 내가 울상을 지었더니 너그러운 낙장불입 시인이 말했다.

"괜찮아. 형제봉 옆으로 난 임도를 따라서 차로 올라갔다가 철쭉 군락지를 따라 살살 내려오면 하나도 힘들지 않아. 너는 특이하게도 차 타고 올라가면 고산병이 전혀 없잖아."

세상에, 이렇게나 쉬운 산행이 또 있을까 싶어 나는 휘파람까지 불며 따라나섰다. 차로 임도를 따라 산 정산 부근까지 올라가자 산봉우리까지 꽃피게 할 것처럼 따스한 봄이 우리를 맞았다. 그리고 거기서 나는 뜻밖의 사람을 만났다. L선배였다.

✤ 철쭉을 보러 지리산에 올랐지만 변덕스러운 봄 날씨에 철쭉은 아직 피지 않았다. 다만 활짝 핀 철쭉 꽃을 상상하며 새잎이 돋아난 산길을 걸었을 뿐이다.

 L선배는 낙장불입 시인과 나 그리고 버들치 시인이 모두 좋아하는 사람이었다. 몇 년 전인가 사업에 실패하고 부인과 이혼한 그가 섬진강변에 기거하고 있다는 소식을 들은 나는 그를 보러 갔다. 칼 융이 말하기를 사람은 중년기가 되면 새로운 후반생을 시작하기도 한다더니 평소 흰 와이셔츠에 금테 안경 그리고 깔끔한 감색 슈트를 즐겨 입던 그는 머리와 수염을 덥수룩하게 기르고 있었다. 강남의 아파트에서 살던 그가 두 칸짜리 폐가에서 불을 때며 우리에게 내놓았던 소주와 라면은 얼마나 어색하고 또 자유로웠던

지. 그는 증권사 빌딩에서 점심시간이면 팝콘처럼 튀어나오는 고만고만한 도시인이 아니라 고유한 영혼을 가진 예술가처럼도 보였다. 그러나 그건 어디까지나 그렇게 보였다는 것이고 낼모레 50이 될 사람이 저래도 되나 싶어서 얼마간 걱정스러운 나를 의식해서 그가 말을 꺼냈다.

"참 이상한 일이야. 내가 잘나갈 때 아내와 아이들 데리고 제주에 갔다가 우도라는 섬에 간 적이 있었어. 배에서 내리는데 선착장에 아주 작은 간이 커피숍이 있겠지. 들여다보니 반 평도 안 되는 가게에 커피머신 한 대 갖다 놓고 내 또래 되는 남자 둘이 커피를 팔고 있더라구. 낡은 청바지에 구겨진 티셔츠 입고. 그 두 사람이 석양의 부둣가에 앉아 있는데 그들이 피우던 담배 연기가 아직도 기억이 나……. 나는 그게 그렇게 부러웠다. 그걸 이해할 수 있을까?"

글쎄 나로서는 그럴 수도 있고 아닐 수도 있었다. 그런데 더욱 나를 놀라게 했던 것은 그가 거기서 새로운 연애를 시작했다는 것이었다. 여자는 글을 쓰러 잠시 지리산 자락에 내려와 있던 방송작가였다. 우연히 낙장불입 시인의 집에서 만난 그들은 그토록이나 늦게, 그리고 손쓸 수 없이 사랑에 빠져버린 것이었다.

"사랑은 내가 약한 것을 알고는 와락 쳐들어왔어.

눈길 가는 곳 어디에나 사랑이었어.

빈자리가 없었어."

그 무렵 그는 바후의 시를 그렇게 외우며 다녔다. 듣기만 해도 숨이 막힐 것 같은 정열, 나는 그런 열정이 그 선배에게 있을 거라고는 일찍이 짐작해본 일이 없었다.

두 사람은 자전거를 한 대씩 사서 섬진강가에 은어 천렵도 다니고 밥과 된장만 담은 도시락을 싸서 산으로 다니며 곰취를 뜯어 점심을 먹고 온다는 말을 했다. 손을 꼭 잡고 나를 배웅하는 그들을 보면서 참 어울리고 어여쁘다 느껴졌지만 나는 문득 내가 알고 있는 선배의 전 부인을 생각했고 마음이 그리 편안치는 않았다. 오래 전부터 친하게 지냈던 선배가 예전에는 자신의 아내를 저런 눈빛으로 바라보는 것을 본 적이 없었기 때문이다. 갑작스러운 연락이 오기 시작한 것은 수경 스님과 문규현, 정종훈 신부님이 "사랑 생명 평화"를 위해 지리산 노고단에서부터 오체투지를 시작한 그 무렵이었다. 버들치 시인과 낙시인은 모두 거기에 참여하느라 집을 떠나 있었다.

"은니 큰일 났어. L선배가 보이질 않아. 며칠 전부터 입만 열면 죽고 싶다고 하더니 오늘 섬진강가에서 없어졌대. 여기 사람들 풀어서 찾고 있는데 으쩌지?"

고알피엠 여사의 심각한 전화를 받고 나는 그곳으로 내려갔다. "부인하고 이혼이 된 줄 알았는데 합의만 끝나고 절차는 아직 남아 있었대. 부인이 그 집에 와서 때려 부수고 난리가 났나 봐. 어쨌든 법적으로는 아직은 부부니까. 그래서 그 방송작가가 떠나버렸

❀ 철쭉 옆에 선 꽁지 작가

는데 그 이후로 L선배는 입을 꼭 다물고 술만 마셔. 그러다가 가끔 입을 열면 그 여자 이름만 불러. 실성한 사람 같아."

사람이란 건 참 이상한 것이어서 내려갈 때까지만 해도 죽으면 어떻게 하지, 안 돼 살아야 해, 하고 마음속으로 온갖 기도를 하고 내려갔는데 막상 자기 집에 누워 사람들의 간호를 받고 있는 그를 보자 미운 생각이 들었다. 그러나 한편 입술이 다 터지고 까맣게 타들어간 그의 얼굴을 보자 정말 "사랑이란 게 뭘까?" 하는 유명한 화두가 머릿속을 웅웅거렸다. 그 후로도 며칠에 한 번씩 고알피 엠 여사나 버시인이나 낚시인은 내게 전화를 걸어 오늘 섬진강에 빠진 그를 건져냈다고도 하고 며칠 동안 먹지 않고 쓰러진 그를 데려다 억지로 병원에 입원시켰다는 소식을 들려줬다. 낮에는 땡볕 내리쬐는 순례단에 참여하고 밤에는 차를 몰아 동네 어귀로 와서 L선배를 찾아다니는 낚시인과 버시인을 생각하자 나는 속이 많이 상했다.

❖ L선배와 그녀가 살던 마당 깊은 집에는 장미가 활짝 피었다.

"그냥 내버려둬. 죽으면 자기 팔자지. 수경 스님, 문 신부님 저렇게 무릎 아프고 힘드신데 무슨 사랑 타령이야, 이 나이에."

내가 화를 내자 버시인이 정색을 하고 내게 말했다.

"우리가 어렸던 1980년대에는 그렇게 생각하기도 했지. 하지만 수경 스님이 삼보일배하는 것도 L선배가 섬진강가에서 헤매는 것도 다 사랑이야. 네가 보기에 어떤 것이 더 중요하다고 해서 다른 하나가 중요하지 않은 건 아니야."

버시인이 부드럽게 그러나 단호하게 말하자 괜히 내가 슬퍼졌다. 그의 입술도 낙장시인의 입술도 모두 L선배의 그것처럼 부어

올랐고 여기저기 터져 있었다. 이러다가 수경 스님이나 L선배보다 버시인이나 낙시인이 먼저 죽지 싶었다.

L선배의 부인은 이혼은 못해주겠다고 하고 L선배는 낮이면 막노동을 해서 어쨌든 아이들 학비는 집에 부치고 밤이면 술을 마시고 죽고 싶어하는, 그렇게 모진 봄날이 다 가고 있었다. 여름도 이울 무렵이었던가 여자를 찾아 전국을 헤매던 선배가 신변을 정리하러 다시 지리산 자락에 나타났다고 했다. L선배가 술에 취해 몇 번 몸을 던졌던 섬진강가 모래톱에서 우리는 소주를 마셨다. L선배는 이제 담담한 얼굴이었다.

"속초에서 만났어. 아직도 그녀는 내가 이혼남이라고 자기를 속였다고 믿는 거 같았어. 놓아달라기에 그러겠다고 하고 헤어졌어……"

그는 쓸쓸히 말을 이었다.

"사랑한다고 모든 것을 다 이길 수는 없겠지, 대신 자유를 얻었어 진정한 자유……" 그의 눈에서 뜻밖에 눈물이 흘려내렸다. 나는 분해서 우는 남자, 억울해서 우는 남자, 싸우다 우는 남자, 술취해서 우는 남자는 본 적이 있었는데 사랑 때문에 순전히 그것 때문에 우는 남자는 처음 보았다. 그런데 더욱 이상한 것은 섬진강변에서 그 부드러운 저녁 바람 속에서 그것은 그냥 자연스러운 일로 느껴졌다는 것이었다.

그리고 나서는 비장한 어투로 우리에게 물었다. "너희들 말야,

진정한 사랑이 뭔지 알아?" 진정한 사랑을 잘 몰라(?) 아픔을 겪었다고 믿고 있던 나는 귀를 쫑긋했다. 그 처절한 아픔을 겪은 선배가 이제 큰 가르침을 주는구나.

L선배가 입을 열었다. "진정한 사랑은 사랑하는 사람을 원하는 곳으로 보내주는 거야."

선배가 더 무슨 말을 할까 나는 열심히 기다리는데 낚시인이 낮게 말했다.

"우리까지 죽을 둥 살 둥 고생시키고 저런 말을 하다니. 그건 우리가 열다섯 살 때 다 알았던 거 아니냐?" 우리는 그때는 크게 웃지도 못했다.

L선배는 여전히 머리와 수염을 기르고 있었다. 서울에서 혼자 다시 사업을 시작했다고 했다. 우리는 걸었다. 좋은 산행이었다. 실내에서 하는 운동과 달리 산행이 몸에 좋은 까닭은 평소에는 전혀 쓰지 않는 근육을 쓸 수밖에 없는 자연의 불규칙성에 있다고 했던가. 산이 예찬받는 이유 또한 그 불가해성이 삶과 닮아 있어서일지도 모른다.

철쭉 군락지에 도착했는데 맙소사, 꽃이 없었다. 분명 예년보다 꽃이 늦은 것은 짐작했지만 그래도 이 정도일 줄은 몰랐다. 4월 중순에도 밤이면 영하로 떨어지는 변덕스러운 봄 날씨에 철쭉은 꽃은커녕 얼어붙지 않으려 기를 쓰고 있었나 보다. 산의 한 사면 가득 핀 꽃을 상상하는 것으로 만족하고 우리는 이제 하산을 해야 했다. 평생 쓰지 않던 근육을 쓰느라 다리는 아프고 근육은 풀어져 다리는 문어 다리처럼 흐물거리며 꼬이는데 멀리서 파도치듯 이리로 다가서는 산들은 생명으로 부글거리며 끓어오르고 있었다. 아기 양의 배에서 새로 돋는 것처럼 보드랍게 초록빛 털들이 몽실거리며 피어오르고 있었던 것이다. 그 생명의 고갱이 속을 걸어가며 우리는 사랑에 대해서는 이제 더는 말하지 않았다. 사랑에 대해 알아야 할 모든 것은 우리가 중학교 때 다 배웠고 L선배마저 이 지리산 자락에서 늦은 사춘기를 마쳤으니까 말이다. 입을 다문 우리는 꽃이 피어날 저 대궁들을 바라보며 스스로의 첫사랑들을 회상하며 걸었다. 언젠가 읽은 테니슨의 시가 떠올랐다.

　　행복한 가을 들판을 바라보며
　　다시 오지 않을 그날들을 생각한다.
　　깊기는 첫사랑 같고
　　온갖 뉘우침으로 설레는
　　아, 삶 속의 죽음이야
　　다시 오지 않는 날들이여……

다정도 병인 양 1

:

지리산 어귀에서 만난 가수 등불
한잔 마시자는 말에 술판이 벌어지는데, 좋던 분위기는
어디 가고 갑작스럽게 삿대질이…

처음 자동차를 샀을 때 가장 인상적이었던 것은 사이드 미러에 작은 글씨로 써 있던 "사물이 보이는 것보다 가까이 있습니다"라는 문구였다. 나는 그 후로도 오랫동안 이 말을 기억하곤 했는데 생각할수록 많은 것을 함의한 말인 것 같았다. 독일에 체류하던 어느 봄날, 가도 가도 끝없이 펼쳐지던 노란 유채의 벌판들을 달리다가 창문을 열면 들이치던 샛노란 향기에 숨이 멎을 듯 황홀했던 기억. 그러나 차를 세우고 사진을 찍으러 아이들과 들어선 순간, 끈적한 진창에 푹푹 구두가 빠져버리곤 했다. 멀리서 보는 것이 더 아름다운 사물이 바로 그 유채들판이었을 것이다.

스위스의 산골마을은 또 어떤가. 아이들과 함께 조립하던 레고 속의 꿈같던 마을이 마치 세트장처럼 세워져 있던 아름답고 섬세한 풍경들. 소들이 한가하게 풀을 뜯는 그 끝없는 초록의 융단들. 느릅나무 아래 풀밭에 한가로이 누워 책이라도 읽으면 좋겠다 생각하며 들어서면 그 초원은 실은 쇠똥 냄새 가득한 현실이었다. 누

✤ 지리산에 피어난 복사꽃이 춘심을 돋운다. 사람들은 이 무렵 꿈꾸고, 사랑하고, 질투한다. 봄이란 원래 그런 것이리라.

울 자리는커녕 돗자리를 깐다 해도 벌레들이 덤벼들 테니 차라리 알프스의 풍경 사진을 걸어놓고 내 집에 누워 있는 것이 나을 것이었다.

　L선배의 바람이 지나간 후, 지리산 자락의 부부들은 가끔씩 다투곤 했다. 여자들은 내 남자가 원래 무뚝뚝한 것이 아니라 아직 그녀를 못 만나서 무뚝뚝할 수도 있다고 의심을 한 것이고, 원래 낭만적이지 않은 것이 아니라 나하고는 낭만적이지 않을 수 있다는 것을 깨닫게 된 것이었다. 사물이, 그러니까 사랑이라는 것이

내게 덮치면 괜찮지만 내 사람에게 닥쳐오면 재앙이 된다는 것을 안 것이었다.

그 무렵 서울에서 의식 있는 노래로 꽤 알려진 여가수 등불이 지리산에 자주 출현하기 시작했다. 뭐 원래 이 지역에서는 유명 작가나 연예인들이 종종 출현하기도 하니 처음에 그것이 그리 큰일은 아니었다. 가까이서 접한 적은 없지만 그녀는 연예인답지 않게 소박한 옷을 입고 기타를 들고 노래를 불렀는데 솔직히 얼굴만 좀 예뻤다면 그 목소리로 일찍이 대성을 했을 것이 틀림없었다. 그러나 싱어송라이터로서 그 의식 있는 가사하며 타고난 저음의 매력적인 목소리는 만만치 않은 팬들을 확보하고 있었다. 마흔이 다 되도록 미혼인 그녀는 세상 모두가 탐내는 돈이나 명예 혹은 사랑 같은 것에 초연한, 일종의 수도자 같은 이미지로 더욱 매력적이었다. 등불이라는 예명도 시대를 밝히는 이미지로 아주 잘 어울렸다.

그런데 가까이 지내는 사람들의 말을 들어보니 그녀는 아주 솔직하고 시원한 성격을 가진, 술 잘 마시고 잘 노는, 호탕하기가 치마 밑에서 일개 사단이 나오고도 남을 여자라는 것이었다. 언제 마주치면 술을 한잔 사야지 생각하고 있는데 어느 봄날 나는 마을 어귀 정자에 앉아 할머니들에게 술을 따르는 등불과 마주치게 되었다. 낙장불입 시인 집에 머물던 내가 아래쪽 마을로 내려와 걸어가는데 누군가의 목소리가 들렸다.

"거기 꽁지 작가 아니쇼잉."

내가 돌아보자 할머니 둘에게 맥주를 따르던 등불은 벌써 얼굴이 붉어 있었다.

"돌아보는 걸 보니 참말 꽁지 작가네. 아따 여기 자주 온다는 소리는 들었는디 참말 이런 디서 만나부네요. 나 노래 부르는 등불이요. 괜찮으시면 맥주 한 고뿌 하쇼 잉?"

그녀는 여기 사는 영화감독 집에 왔는데 그 감독이 집에 없어서 사온 술을 가지고 동네 노인들과 나누고 있는 참이라는 것이었다. 노래할 때와는 다르게 사투리가 구수한 그녀는 가까이서 보니 그런대로 귀염성 있는 얼굴이었다. 나까지 합세하여 마신 탓에 정자에 있는 맥주가 다 떨어지자 그녀는 내게 영화감독 집에 가서 술을 더 마시자고 했다. 낚시인도 오게 하고 버시인도 오게 하자는 것이었다. 낮술로 기분도 좋아진 나는 그녀와 함께 영화감독네 집으로 갔다. 지리산 자락에 사는 사람들이 다 그렇듯 문이 훤히 열려 있고 "제발 빌려간 DVD 자리에 돌려놓으소 잉" 하는 글씨가 현판처럼 붙은 방에서 우리는 술을 마셨다. 얼마 후 버시인과 낚시인이 왔다. 한편 등불은 집주인인 영화감독에게 계속 전화를 하는데도 정작 집주인 영화감독에게서는 아무 응답이 없었다.

"참말로 이상한 사람이네. 분명 내가 오늘 낮에 온다고 일주일 전부터 그리 야그를 했는데이."

얼마나 시간이 지났을까 영화감독네 전화가 울렸다. 등불이 얼른 전화를 받았다. 그러더니 전화를 끊으며 중얼거렸다.

❖ 하동 평사리의 자운영 꽃밭. 부부 소나무가 서 있어서인지 미혼자들은 여기 오면 부부가 되고 싶어
한다.

"참말 이상하네. 누가 자꾸 전화를 해서 나가 여보시오 하면 끊고, 또 여보시오 하면 끊고 한다냐……."

나도 선뜻 이해가 가지 않았다. "누가 왜 그럴까?" 묻자 버시인과 낙시인은 빙그레 웃으며 "글쎄" 하고는 그저 술잔만 더 채워주는 것이었다. 날이 어스름해지고 있었다. 낮부터 시작한 술 때문에 우리의 의식도 술안개로 어스름해져갔다. 그러는 동안 전화는 30분 간격으로 그렇게 울려댔다.

낙시인이 여가수가 화장실 간 틈을 타 낮게 속삭였다. "암말 말고 가만히 있어. 그 감독이 여가수 오는 거 알고 오늘 피해 간 거야. 집 밖에서 빙빙 돌면서 30분 간격으로 자기 집에 전화해서 여가수가 받으면 끊어버리는 거야. 안 받으면 딴 곳으로 간 거니까 그때 집으로 들어오려고."

무슨 소린지 통 이해가 되지 않았다. 오지 말라고 하면 되지 왜 오라고 해놓고 그녀를 피하는지 말이다.

"안 떨어져. 한번 물면 안 떨어진다니까. 이름이 괜히 등불인 줄 아니? 밝혀서 그래."

그 말의 깊은 뜻을 짐작하려고 내가 애쓰는 사이 화장실을 다녀온 여가수가 자리에 앉더니 눈물을 뚝뚝 흘리기 시작했다. 나로서는 몹시 당황스러웠는데 그녀가 휴지로 코를 팽팽 풀더니 버시인에게 말했다.

"버시인 옵화! 요새 참 서울이고 지리산 자락이고 남자새끼들이 씨가 말랐습디다. 술만 먹으면 다들 도망을 간다니까요. 내가 무슨 지들을 잡아먹느냐고요. 이러고도 그놈들이 사내새끼들이라고 뭐 두 쪽을 차고 다닐 수 있느냐고요."

사람 좋은 버시인은 그런 그녀의 한탄을 들은 것이 한두 번이 아니라는 듯 그녀의 말에 대꾸했다.

"그러냐? 그런데 어쩌지. 나도…… 실은 네가 무서워."

버시인의 말에 약간 충격을 받은 듯 여가수는 작은 눈을 찌푸리더니 더 큰소리로 울었다. "버시인 옵화! 옵화마저 그러니 나는 이제 어찌 살란 말이요. 내가 뭘 어쩐다고? 돈을 달래 쌀을 달래? 자자고 밖에 안 하는데 그걸 안 들어주고……. 이젠 버시인 옵화까지, 흑."

그럼 그 등불이 시대를 밝히는 것이 아니라 그걸 밝힌다는 거야? 라고 생각한 내가 약간 충격을 받아 어쩔 줄 몰라 하자 그녀가 울다 말고 나를 바라보며 다시 물었다.

"거기도 혼자제? 사내놈들 중에 쓰다버린 거나, 지금 쓰고 있는데 버리고 싶은 거나, 해봤는데 세기는 허나 자기 허고는 영 안 맞는 놈 있으면 분양 좀 해봐."

내가 더욱 놀라자 그녀는 인상을 찌푸렸다.

"서울 것들은…… 내숭이 9단이여. 에잇 그쪽은 조금 있다가 내숭계에서 입신허겄어" 하며 입에 소주를 털어 넣었다. 내가 민망해하자 그녀는 혼자 생각에 잠겨 있다가 나를 뚫어지게 바라보더니 다시 말했다.

"당신 말이야. 눈 큰 서울 년이면 다야! 왜 잘난 척해! 응? 그래
나 눈 작다. 눈 작어."

버시인이 말릴 사이도 없이 그녀가 내게 삿대질을 했다. 술을
마시다가 당하는 난데없는 봉변에는 이미 익숙해져 있는 나라서
서울 같으면 그냥 조용히 일어나 집으로 가면 되는 것이었지만, 여
기는 지리산 자락, 대중교통은 없었고 나도 두 시인도 술을 마셔버
렸고 그래서 아무도 운전을 할 수 없었으므로 우리는 그날 그 좁은
감독의 집에서 함께 잠을 자야 할 처지였다. 그렇다고 그럴 때 한
성질 하는 내가 가만히 있을 수 없었는데 버시인이 내게 절대 아무
말 하지 말라고 눈짓 입짓 손짓 몸짓을 해댔다. 한 살이라도 더 먹
은 내가 참자…… 생각하는데 낚시인이 마치 성난 투우에게 시달
리는 동료를 구해내는 투우사처럼 끼어들었다. "그런데 생각해보
니까, 등불아 우리 그렇게 만나도 한 번도 같이 안 잤다, 응?"

그러자 여가수 등불의 눈이 등불처럼 반짝 빛나며 박수를 치며
웃었다.

"맞아, 낚시인 옵화하고는 한 번도 안 잤네…… 맞다. 내가 그
걸 세는 걸 잊었네. 등잔 밑이 어둡다더니 등불 밑이 어두웠네. 이
렇게 기쁘고 신기한 일이…… 케케."

그런데 문제는 그 순간 지리산 지킴이 총무일을 마친 낚시인의
부인 고알피엠 여사가 방으로 들어섰다는 것이었다.

❖ 여름 햇살에 탐스럽게 열린 물앵두가 먹음직스럽다.

다정도 병인 양 2

:

등불은 몸부림쳤다.
걱정이 된 버시인과 낙시인이 더욱 강하게 붙들자,
그녀는 소리쳤다.

세상에 불행한 일이 가지가지로 있지만 좋아하는 일을 하는 데 애로를 겪는 사람들을 보면 저것도 참 불행이다 싶긴 하다. 나 같은 사람은 책 읽는 것 외에 거의 취미가 없으니 나하고 책만 있으면 그런대로 행복하고 산책을 즐기는 사람은 길하고 나하고만 있으면 좋을 것이다. 그런데 바둑을 두려면 나 빼고 다른 사람 한 명, 골프를 하려면 최소한 세 명이 더 동의해야 하고 이게 농구나 야구, 축구 등으로 가면 문제가 더 복잡해져서 수많은 사람이 시간과 장소를 맞추어야 한다. 내 친한 친구는 축구를 유일한 취미로 가지고 있는데 한 번 그 취미를 즐기기 위해 얼마나 고생을 하는지 모른다. 최소한 스물두 명이 있어야 하니까 말이다. 만약 내가 매스게임이나 강강술래 같은 것을 좋아했다면 정말 인생이 힘들었을 것 같다.

처음에 등불을 바라보면서 세상에 뭐 이런 여자가 다 있어 하는 생각을 하긴 했다. 그렇지만 그 후로 곰곰 되돌아보니 그녀의 성욕

이 강하다는 것 자체가 무슨 죄는 아니지 않을까 싶었다. 다만 이성들이 그리 호감을 가지지 않을 용모를 가지고 있으면서 섹스를 좋아하는 그녀가 실은 좀 안되어 보였다. 사람을, 특히나 여자를 용모로 판단하여 예쁘니 아니니 하는 것을 몹시 싫어하는 나지만 어떻게 보아도 등불은 결코 예쁜 여자는 아니었다. 얼굴은 검고 사각이었으며 눈은 단춧구멍보다 더 작았다. 그래도 코는 좀 반듯하고 입술이야 뭐 그런대로 봐줄 만했는데, 정육면체와 같은 두상과 눈동자가 있는지 없는지 보이지 않도록 작고 찢어진 눈. 이 두 가지 때문에 얼굴은 결정적으로 호감을 주지 못했다. 더군다나 팔도 다리도 굵고 짧아서 여성성 같은 것과는 거리가 멀었다. 내면의 매력이 밖으로 드러나 자리잡는 40대도 아직 되지 않았고, 오로지 타고난 것으로만 승부하는 30대 중반의 여자. 한마디로 목소리만 천부적으로 아름다운 사람이었으니, 생각할수록 딱했다.

그러고 보니 내가 그녀처럼 성욕과 이성에 대한 왕성한 호기심을 가진 여자를 처음 보는 것은 아니었다. 내 선배 중에 얼굴도 예쁘고 몸은 버들가지처럼 낭창낭창한 여자가 있었는데—유부녀이다. 누군지 알려고 하시지 말기를, 제발—술자리에 앉았다 하면 그 자리의 어떤 남자와 사라졌고 다음날은 무용담처럼 그와 잤다는 이야기를 했다. 그 술자리의 남자란 내가 다 아는 사람들이어서 나는 여러 번 인간이란 무엇일까, 남자란 무엇일까 고민하기도 했고, 나를 좋아하는 줄 알아서 언제 데이트를 신청하면 거절할까 말

✤ 해마다 진분홍빛 철쭉을 피워내는 지리산이나 그 품 안에서 노래하는 가수나 열정은 매한가지 아닐까.

까 하고 고민하고 있는데 내 선배와 동침을 해버린 인간과 다시는 보지 않겠다고 다짐하며 혼자 복수를 했다고 통쾌해한 일도 있었다. 한번은 여자친구들이 그녀를 모셔다 놓고 한 수 가르침을 청했다. 그 무렵 나와 비슷하게 도로 싱글이 된 내 친구들의 신년 목표는 늘 올해는 어떻게든 내숭의 해를 만들자! 였는데 결코 성공하지 못하고 있었다. 우리들의 목표는 어떤 남자가 좀 쫓아와서 "저랑 한번 사귀어보실래요?" 말이라도 들어보는 것이었고, 그런 남자가 다가오면 우선 화들짝 놀란 척하며 그의 용모를 살핀 후 괜찮은 남자면 "어머 싫어홋. 전 아직 당신을 모르잖아홋. 한 번쯤 하는 데이트는 몰라도……"라며 살짝 웃는 것이었고, 만일 너무 아닌 사람이 다가오면 "어머 그러고 싶은데 어쩌죠? 지금 남편이 데리러 온다고 해서홋" 하는 것이었다. 하지만 한 번도 그런 거절을 해보지 못한 우리가, 아무리 늦게 들어가도 너그러운—게다가 유능하기까지 한—남편의 사랑도 받고 있으면서 그렇게 바람을 피워대는 그녀를 신기하게 여기는 것은 당연했다. 선배는 버들가지 같이 가느다란 종아리를 외로 꼬며 우리에게 강연을 시작했다.

"내가 술자리에서 니들을 보니까, 니들은 꽝이야. 왜 술자리에서 남자들이 뭐라고 하면 아, 그렇군요 하고 말지, 쌍심지를 돋우고 논쟁을 하고 난리야? 누가 싸우자고 덤비는 여자랑 자고 싶겠어?" 생각해보니 일리가 있었다.

"우선 남자를 하나 찍어, 그리고 그 사람을 뚫어지게 바라봐. 이때 중요한 것은 아줌마처럼 큰소리로 웃고 술을 벌컥벌컥 마시고 그래서는 안 된다는 거야. 입을 딱! 다물어. 그 사람이 보수꼴통들을 시대의 선각자들이라고 찬양해도 참아. 쥐가 세상에서 제일 멋진 동물이라고 해도 참아! 어떻게 하니, 목표를 위해선 참아야지. 그리고 그가 너의 눈길을 의식하고 너를 바라보는 순간 얼른 '엄어낫! 들키어버리었네홋!' 하는 기분으로 얼른 시선을 내리깔아……. 그리고 그가 다른 곳을 보면 다시 그를 뚫어지게 봐. 다시 그가 널 쳐다보면 보일 듯 말 듯 미소를 지어. 나 잘 봐! 이렇

❀ 초여름 내음이 물씬한
낙장불입 시인 집 뒷산
형제봉 능선의 산책길

게……. 그 세트를 한 세 번 반복하면 그 다음 그에게서 문자가 오지. 그럼 화장실로 가는 척하고 얼른 나가는 거야. 내가 해보니까 백의 한 명 정도는 안 넘어오고 나머지는 다 영락없이 오케이야. 그 백의 한 명은 알고 보니 다음날이 결혼식이었대. 신혼여행 갔다 와서 문자가 왔더라고. 이제라도 괜찮으면 술 한잔 사고 싶다고, 호호호."

우리는 그녀를 따라 하기 위해 다음날 괜찮은지 여부에 상관없이 일단 시간이 된다는 남자들을 불러서 술을 마시기로 했다. 그러나 그 결심은 5분도 못되어서 무너지고 말았다. 우연히 그 자리에 보수신문 기자가 끼어 있었는데 그만 그와 내가 대판 싸우게 되었고 '참아야 하느니라'를 연습하고 간 내 친구들까지 내 편을 드느라 고래고래 소리를 지르고 만 것이었다. 그 참담한 패배 이후, 우리는 그냥 그 선배를 여신이라고 부르기로 하고 우리 평범한 인간들은 그저 술 마시고 와구와구 논쟁이나 하면서 우정 비슷한 것이나 쌓자고 그것도 뭐 참 좋은 것이라고 서로를 위로했다.

"그래, 인생이 불공평한 것을 아는 순간 우리는 어른이 되는 거야."

뭐 이런 소리나 하면서 말이다.

그런데 그녀의 말을 되새기면서 등불을 바라보니 등불은 또 의식은 또렷하고 정치적으로도 올바른 사람이어서 도저히 보수꼴통을 시대의 선각자들이라고 하는데 입을 딱! 다물고 있을 수는 없는 여자였다. 게다가 술을 먹고 자주 우는 버릇이 있는 것으로 보아서 이미 마음을 많이 다친 듯했다. 남자의 경우도 그렇겠지만 내 경험상 저런 식으로 사랑을 갈구하는 여자는 점점 더 그리고 어쩌면 결코 사랑을 얻지 못한다. 너무나 큰 허기 때문에 상한 음식이라도 자꾸 먹어서 건강을 해치는 것처럼 애정이나 성의 없는 하룻밤의 섹스는 그녀를 점점 황폐화시킬 것이다. 나는 처음 만난 그녀에게 연민을 느꼈다. 욕구를 주시려면 능력도 함께 주시지, 하느님도 너무하시다 싶었던 것이다. 아무튼 들어선 고알피엠 여사의 얼굴은 이미 굳어 있었다. 하기는 아무리 농담이지만 자기 남편과 잠을 자니 마니 하는 소리를 들은 아내가 마음이 좋을 리가 있는가. 어쨌든 그녀는 등불을 보더니 반색을 하는 척했다.

"아이구 등불아, 서울서 혼자 밥해 먹느라 을마나 고생이 많니? 얼굴이 반쪽이 되었구나. 너 아직도 남자 찾아다니고 그러니? 글쎄 이 은니가 매번 말했잖아. 이놈 저놈 찾아다니지 말고 벼르고 있다가 큰놈 하나 낚으라고. 거 도토리들이 열 번 굴러도 호박이 한 번 구르는 것에 당하겠니? 호박덩이같이 굵고 큰 놈 하나 낚아. 도토리 같은 놈들 다 잊어버리고. 넌 할 수 있어. 울지 말고 힘내! 응?"

그러자 등불은 고여사의 손을 잡고 더욱 흐느껴 울기 시작했다.

"은니, 내 맘 아는 사람은 역시 은니밖에 없소 이. 근디 호박이 구르면 좋은디 가을이 아직 안되어부러서 흑흑."

그러자 고알피엠은 흐느끼는 등불의 등을 토닥이는 한편 자신의 남편 낙장불입 시인을 한 번 째려본 후 다시 입을 열었다. "너도 서른이 훨씬 넘었으니 알 것 다 알 것 같아 말이지만, 쌀 떨어지자 밥맛 나고 해방되자 일본어 된다고 낙시인이 그리 왕성할 때는 내가 뭘 몰랐는데 요즘은 내가 뭘 아니까 낙시인이 영 늙어버렸어……. 병원에서도 가망이 없대……."

고알피엠은 고개까지 절레절레 흔들었다. 낙시인이 어이가 없다는 듯한 표정을 짓자 고알피엠이 몰래 낙시인을 꼬집었다. 그러자 술에 많이 취한 듯한 등불이 작은 눈을 더 희미하게 뜨더니 얼굴을 일그러뜨렸다.

"증말? 아이고 하늘도 무심하지, 내가 깜빡 잊어버렸어. 낙시인옵화하고 안 잔 걸……. 진작 체크했다가 이 지경 되기 전에 얼른 잘걸."

이쯤 되자 고알피엠도 웃고 우리도 어이가 없어 웃고 말았는데 갑자기 울던 등불이 벌떡 일어나 밖으로 나갔다. "쟤 또 저번처럼 음주운전하고 서울로 가는 거 아니야?" 버들치 시인의 말에 우리는 걱정이 되어 급하게 밖으로 나갔다. 아닌게아니라 등불은 자신의 차에 타려고 하고 있었다. 놀란 낙시인과 버시인이 다가가 그녀를 붙들었다. 등불은 몸부림을 쳤다. 걱정이 된 두 시인이 더욱 강하게 그녀를 붙들자 그녀가 소리쳤다.

"왜 이래, 놔. 어딜 만져!!"

그날 나는 알았다. 붙드는 것과 만지는 것의 하늘과 땅 같은 차이를. 어쩌자고, 형제봉 산비탈에는 철쭉만 그렇게 붉었다.

❖ 형제봉에 만개한 철쭉

©지리산 사진작가 강병규

❖ 지리산의 여름 하늘

정은 늙을 줄도 몰라라

:

쫓겨난 밥집의 콧대 높던 여주인,
'강남좌파'를 보더니 핑크빛으로…

나는 사찰을 찾기를 좋아하는데 그중에서도 쌍계사는 내가 좋아하는 절 중에 세 손가락 안에 든다. 봄이면 벚꽃이 폭풍우처럼 휘몰아치고, 여름이면 최치원이 귀를 씻었다는 세이암을 지나 흐르는 맑고 푸른 물줄기하며, 가을의 고적함, 그리고 겨울이면 벽소령이 북풍을 막는 그 남향 계곡의 따스함까지. 그 쌍계사 입구에 수많은 음식점들이 있는데 오늘 내가 소개하고자 하는 집이 그중 하나이다(사실 이 글을 쓰는 동안 여러 사람이 구설수에 오르내리는 바람에, 웃자고 좋자고 쓰는 글이 본의 아니게 괴로움으로 변하게 되어 글을 중단할까 하는 심각한 고민에까지 이르게 되었었다. 그러니 이번 식당도 눈 밝고 머리 좋은 분들은 알아서 찾아가시기를).

이 식당은 참 아름답다. 정원이 널찍하고 방들이 오붓한 것은 물론 주인이 아름답기로 그 명성이 자자하다. 정원 한가운데 70년쯤 된 매화나무가 봄의 전령처럼 손님들을 맞이하고 정원에는 주인이 가꾸는 갖가지 꽃과 먹을거리들이 피어나고 자란다(지난번

❖ 지리산 계곡에는 이미 초여름
이 찾아들었다. 흐드러진 철쭉도
이제는 곧 자취를 감출 것이다.
젊은 날의 순수와 열정이 그러하
듯이.

30대 후배를 데리고 가면서 주인이 아름답다고 했더니 좋다고 따라왔던
그 후배 왈, "에잇 50대잖아요" 한다. "50대 여자는 아름다우면 안 되나?
네가 지금 찬양하는 그 여자도 언젠가는 50이 된다, 이놈아!"라고 말을 해
주려다 말았다). 여주인은 혼자서 아이들 둘을 키우며 시아버지가
물려준 그 식당을 벌써 30년째 운영하고 있는데 절집의 식단을 그
대로 옮겨놓고 있는 것이 특징이다. 이 집의 음식은 오신채를 쓰지
않음은 물론인데 들깨 국물이 너무도 고소한 사찰국수며 표고가

고기처럼 씹히는 표고전, 갓 짜낸 참기름과 들기름에 무쳐낸 갖은 나물들만으로 상은 너무나 푸짐하다. 맵고 자극적인 음식을 좋아하는 나 같은 사람도 화개에 가면 꼭 이 집에 들른다. 지난번 한 선배를 모시고 갔던 날은 이 집 주인이 갓 딴 생당귀, 생참나물잎, 생곰취 등을 한 바구니 내놓았는데, 그날 입맛 까다로운 그 선배는 자신의 평생 다섯 손가락 안에 드는 밥상이라고 극찬을 아끼지 않았다.

그 집 여주인은 둥근 이마와 커다란 눈 그리고 오똑한 코를 지녀 한눈에도 평생 독신으로 살기가 힘들었음을 짐작하게 한다. 솜씨 좋은 사람이 얼굴까지 예쁘면 성질이 좀 더러워지기 마련인데 나는 그렇게 예쁘고 성질 더러운 사람을 좋아한다. 대개 이런 사람은 계산 정확하고 남에게 신세 안 지고 그리고 음식 재료 속이지 않기 때문이다. 이 집 주인이 직접 담근 동동주는 앞서 소개한 딸 찾으러 왔다가 계곡물 보고 먼저 옷을 훌렁훌렁 벗고 뛰어든 장모가 이제는 할머니가 되어 손녀 봐주러 딸네 집에 오면, 꼭 저녁에 딸 부부에게 전화 걸어 "거, 애는 잘 자는데 내 목이 좀 칼칼하다" 할 때 한 동이씩 사가지고 가야 하는 효도품이며 양육 필수품이기도 하다.

나는 지난번 서시천변 모텔 사건의 주인공들과 봉변 아닌 봉변을 당한 후 이 집에 점심을 먹으러 들렀다. 마침 그날이 우리나라가 세계야구선수권 대회에서 일본과 결승전을 하는 날이었다. 점

✦ 들깨 국물이 너무나도 고소한
사찰국수

심을 먹은 우리는 버들치 시인 낙장불입 시인과 누이처럼 지내는
안주인의 양해를 얻어 그 안채에서 TV를 켜놓고 우리나라를 응원
하느라 발을 동동 구르며 동동주를 마시고 있었다. 그날 우리는 일
본에 아쉽게도 지고 말았다. 서울에 운전을 하고 가야 할 친구까지
분하다며 모두 술을 마셔버린 우리는 내일 걱정은 내일에 맡기라
는 예수의 말을 새삼 따르기로 하며 저녁식사까지 모두 그 집에서
해결하기로 한 다음 여주인을 불렀다. 30년을 홀로 자식 둘 키우
며 살아온 자신의 수도처인 방에 들어온 여주인은 담배 연기가 가
득 차 있고 술 냄새가 진동할 뿐 아니라 우리가 일본에 졌다며 탁
자를 쾅쾅 쳐서 담뱃재를 여기저기 떨어뜨리고 술을 여기저기 엎
지르고 방자한 자세로 엎어져 있는 나와 내 친구들에게 몹시 분노
하며 그 더러운 성질을 유감없이 발휘했다.

　"당장 나가!!! 장사고 뭐고 필요 없어!!!"

우리는 얼른 자세를 바로 하고 담뱃재를 닦고 술잔을 똑바로 세우며 담배 피우는 친구들에게 "그러게, 내가 너 담배 좀 끊으라고 고등학교 때부터 말했지" 하면서 사태를 수습해보려고 했으나 여주인은 꿈쩍도 하지 않았다. 우리는 술에 취한 채로 그 집을 쫓겨나와 하는 수 없이 살살 서울로 돌아와야 했다.

그날의 기억이 하도 불쾌하여 그 집에 가지 않으려고 결심했으나 이상하게 나쁜 기억은 금방 잊어버리는 나는 그해 여름 '강남좌파' 형과 다시 그곳에 가게 되었다. 그날 주방에서 나오던 여주인은 강남좌파 형을 보더니 그만 눈이 핑크빛으로 변해버렸다. 강남좌파 형이 입만 열지 않으면 좌파스럽지 않고 그냥 강남스러워서 여자들에게 인기가 있는 줄은 진작에 알았지만 저 성질 더럽고 콧대 높은 여주인을 매료시킬 줄을 아무도 몰랐던 우리는 이 심상치 않은 사태를 주시하기로 했다. 평소 자기 맘에 들지 않으면 바로 우리를 쫓아내던 여주인은 우리를 정원의 가장 시원하고 경치 좋은 자리에 앉히더니 자기 방으로 가서 머리에 예쁜 손뜨개 모자까지 뒤집어쓰고 나왔다(흠, 거기엔 꽃이 한 송이 달려 있었다). 그러더니 일하는 아이를 불렀다.

"애, 옥잠화가 피었느냐? 피었으면 꽃을 좀 따서 전을 부쳐오너라."

그야말로 '뭥미' 적 사태였다. 내가 그때 지금과 같은 센스가 있었다면 옥잠화전 인증샷을 찍어놓았을 것을, 못내 아쉽다. 그리하

❖ 쌍계사 입구, 아름다운 여주인이 운영하는 음식점에는 '할 일이 많아 참 좋다'는 현판이 걸려 있다. 여주인이 겪었던 인고의 세월을 말해주는 듯하다.

여 우리는 그 집에서 귀빈 대우를 받았음은 물론 옥잠화전이라는, 아! 그 맛을 무엇이라 표현해야 하나, 들기름이 촉촉이 젖은 부드러운 밀가루 껍질 속에 꽃향기 진한 솜사탕이 들어 있는 것 같은 옥잠화전이라는 음식인지 예술인지를 먹게 되었다.

곰곰 생각해보니 이제부터 누구와 지리산에 가는 게 유리한지 답이 나온 나는 그 후로 오랫동안 강남좌파 형의 자동차와 운전 솜씨를 기회가 있을 때마다 칭찬하고 평소에 그 형이 주식으로 삼는 족발과 쥐포를 부지런히 공급하며 지리산에 자주 모시고 다니게 되었다. 그때마다 여주인은 색색가지 다른 모자를 쓰고 나와(거기에는 꼭 다른 꽃이 달려 있다. 흠) 우리를 맞았고 처음 먹어보는 온갖 음식을 내놓았다. 한번은 그 여주인의 오빠가 경영하는 황토방에서 흑염소를 한 마리 잡아달라 하고 우리가 거기 머무는데, 장사를 마친 여주인은 강남좌파 형이 왔다는 말에 꽃이 달린 모자를 쓰고 와서 노래까지 불렀다. 그 고운 자태, 그 고운 목소리, 그 수줍은 볼이 아직도 기억이 난다. 그때 그녀가 부른 노래는 〈녹수의 꿈〉이었다. 그 마지막 가사가 녹수는 서글퍼라, 였던가.

지난봄 우리는 다시 그 식당에 들르게 되었다. 이제는 50이 넘은 여주인은 오랜 정숙의 세월 끝에 흰 머리도 난 지금 그 정도의 유희는 즐겨도 된다고 스스로 생각했는지 한결 여유 있어져서, 예전처럼 강남좌파 형을 보면 얼굴이 확 붉어지지는 않았고 대신 반찬 수도 약간 줄었다. 그날 우리는 최도사 형을 데리고 그 집에 가게 되었다. 여느 날처럼 내가 나물이 정말 맛있다고 칭찬을 하자 그녀가 대답했다.

"솔직히 여기 쌍계사 입구 음식점에서도 중국산 나물을 쓰는 집이 생겨나고 있어. 국산 구하기도 힘들고, 나는 여기 아주머니들에게 직접 부탁하고 내가 키워서 나물을 쓰는데 정말 양심 없는 사람 많아. 솔직히 그렇게 국산 쓰면 값도 비싸야 하니 남는 것도 별로 없고…… 내 성질이 더러워서 그렇게는 못하는 거지. 참 그래서 겨우 손해만 안 보고 하는 거야, 이 장사."

여주인은 우리에게 자신의 어려움을 털어놓고 있었다. 여주인의 이야기를 듣고 있던 내가 문득 최도사를 보게 되었다. 최도사의 눈이 강남좌파 형을 처음 보던 여주인의 눈같이 변하고 있었다. 거무스름한 그의 마른 뺨에 산복숭아빛 홍조까지!! 소설가라는 직업병으로 사람 기색 살피는 데는 귀신같은 재주가 있는 내가 그걸 놓칠 리가 있는가.

"얼레꼴레리, 도사 형 왜 그래?"

내가 물었으나 도사는 이제 귀도 들리지 않는지 여주인에게 시선을 떼지 못한 채 입을 열었다.

"난 이런 데서 장사하는 사람들 다 도둑인 줄 알았는데 이런 사람도 있었네요. 그런데 손해보시면 어떻게 해요. 제가 도와드릴게요, 저 돈 많아요."

돈이 많다는 최도사의 말에 그것이 무슨 의미인지를 나처럼 눈치 챈 낚시인이 나섰다.

"음 그게 저 말이지…… 1년에 이 형 연봉이 2백이야."

낚시인은 사실을 말한 것인데 그만 좌중이 모두 민망하게 되었다. 그러자 여주인이 웃으며 말을 받았다.

"그래요? 정말 돈 많으시네요. 우리 같은 사람은 수입은 많지만 이것저것 지불하고 나면 늘 마이너스인데 만일 1년에 2백이 남는다면 그거 부자 맞네요."

그러자 기쁨에 넘친 최도사가 복숭아빛으로 물든 뺨이 찢어지게 웃으며 다시 말했다. "그럼요, 제가 다른 건 몰라도 자장면은 매일 사드릴 수 있습니다! 이제부터 매일 오겠습니다."

아아 정은 늙을 줄도 몰라라. 계곡의 푸른 물줄기 소리처럼.

시골 생활의 정취

:

토종닭 타령을 하던 서울 친구들
기어코 닭은 잡았는데, 닭을 잡기만 한다고 해서 되는 일도 아니고…
잡기는 하는데 죽이지는 못하겠고…

축구경기가 닭이랑 원래 무슨 상관이 있는지 모르겠지만 2010년 월드컵은 그동안 궂은 날씨로 불황에 시달리던 치킨집의 매상을 하루아침에 올려줌으로써 닭과 깊은 관계를 맺었다고 한다. 어떤 치킨집은 주문을 하면 번호표를 나누어주고서 다음날 배달을 했다고도 한다. 우리 막내는 자기가 그리스전 때 주문한 치킨이 열흘 후 아르헨티나전이 시작될 때까지 아직도 도착하지 않았다고 투덜거리곤 했다. 그래서 이번에는 아르헨티나전을 하기 전에 닭을 직접 사서 삼계탕을 끓였다. 소주와 맥주도 고루 준비하고 국물 없이 시골스럽게 담근 열무김치와 마늘장아찌도 마련해서 축구 관람 준비를 마쳤다. 앞으로 이게 혹시 한국의 축구 관람 음식으로 자리잡는 것은 아닐지, 새로운 전통이 하나 더 생겨날지도 모르겠다.

이렇게 닭을 고아 먹을 때면 꼭 생각나는 일이 있다. 몇 년 전, 낙장불입 시인이 아직 피아산방이라는 산중에 살던 때였다. 그때

❖ 장닭이 머리를 꼿꼿이 쳐든 채 위엄을 뽐내고 있다. 세상의 모든 수컷들이여 날 보라는 듯이. 갇히지 않은 닭, 야생을 누리는 닭은 씩씩하다. 아름답다.

낙시인은 그 집 마당에서 닭을 키웠다. 나는 그렇게 놓아 키우는 닭을 처음 보았는데 그 집의 젊은 수탉을 보고 닭이라는 새가 얼마나 아름다운 조류인지 처음 알게 되었다. 그 선명한 청동빛 꽁지의 탐스러움과 황톳빛의 꼿꼿한, 윤이 나는 목덜미, 제법 큰 키에 늠름한 자세. 낙시인이 마루에서 시를 쓰는 날이면 그 수탉은 창가로 뛰어올라 낙시인이 시를 쓰는 것을 위에서 내려다보곤 했다. 그리고는 가끔 큰소리로 꼬끼오오오오오호호호 소리를 쳤는데 시가 잘 씌어지지 않는 날이면 낙시인은 "저 쉐이가 지금 나를 놀리나?"

공연히 울컥하기도 했다고 한다. 수탉은 뒷짐을 지고 다니며 오종 종하게 살이 오른 암탉들을 위협도 하고 감시도 하고 이리저리 몰 기도 하다가 풀썩 암탉의 등 뒤에 올라타 교미를 하기도 했다. 지 리산 깊은 산속에서 그것은 참으로 씩씩하고 아름답게 보였다.

문제는 우리 서울내기들이 어느 복날 그 집에 당도했다는 것이 다. 그날 고알피엠 여사는 당연히 집에 없고 낚시인은 강연을 가야 했는데, 누군가 오늘이 복날이니 닭을 잡아 먹자는 이야기를 꺼냈 다. 뭐 거기까지는 별 문제가 아니었다. 낚시인은 잠시 얼굴을 찌 푸리더니, 저 닭들은 그저 달걀을 얻기 위해 키우는 것이니 닭을 먹으려거든 다른 곳에 가서 사먹자는 말을 했다. 요 앞 계곡에 가 면 경치 좋고 시원한 곳에 돗자리 펴주고 3만5천 원이면 씨암탉을 잘 고아 온갖 맛깔스러운 반찬까지 곁들여준다는 말을 덧붙였다. 아무리 닭이지만 자기가 키운 것을 잡아먹기가 그리 쉬운가 싶어 나도 동의했다. 그런데 마흔이 넘어서도 모이기만 하면 꼭 10대의 반항아들같이 구는 내 남자친구들의 생각은 달랐다. 우리가 시골 에 사는 친구에게 온다는 게 뭐냐, 갓 잡아 쫄깃쫄깃한 닭을 가마 솥에 고아 먹는 시골 생활의 정취를 즐긴다는 게 아니냐, 사먹으려 면 서울에 더 맛있는 집도 많다, 우리가 온다면 진작 닭을 잡아 놓 았어야지 사실 그동안 서운했다, 뭐 이런 이야기들을 늘어놓는 것 이었다. 낚시인은 어제 먹다 남은 삼겹살이 냉장고에 남아 있고 지 난번에 마구 잡아놓고 간 섬진강 빠가사리 새끼 및 각종 잡어들도 냉동실에 있는데 굳이 새로 살생을 해서 닭을 잡아먹을 이유가 뭐냐 반격을 했고 옥신각신은 한참 지속되었다. 그러나 목소리 작고 사람이 여린 낚시인은 우리 거센 서울내기들에게 언제나처럼 지고 말았다. 낚시인은 굳은 표정으로 "그러면 너희들 마음대로 하라"는 말을 남기고 오토바이를 타고 휑하니 사라져버리고 말았다.

정든 닭을 어떻게 잡냐? 생각만 해도 징그럽다, 내가 매운탕 끓여줄 테니 그거 먹자, 아니면 삼겹살 남은 걸로 돼지불고기 무쳐줄게, 하고는 내가 아양까지 떨어가며 부탁했지만, 아니 내가 평소와는 다르게 아양까지 떨며 부탁하는 것을 보자 이 친구들은 소설《파리대왕》에 나오는 소년들처럼 이미 사냥본능에 몸을 떨고 있는 것 같았다.

"우리가 다 잡아서 털까지 뽑아 요리해줄 테니, 꽁지 너는 물이나 끓이고 마늘이나 푸지게 까놔……. 다 이 옵화들이 알아서 해줄 테니 음?"

그들은 심지어 느끼한 목소리로 고집을 피우는 것이었다.

평소 운동은커녕 '3보 이상 승차'를 생활신조로 삼고 살던 내 친구들이 지리산에서 태어나 그곳의 정기를 받고 산을 오르내리던 닭을 잡는 일은 그리 만만한 일이 아니었다. 게다가 닭들이 쭉 뻗은 길로만 도망가는 게 아니니 수풀 속을 헤치고 나무 사이 비탈을 구르기도 하며 친구들은 고전을 면치 못하고 있었다. 내가 솥에 넣은 물이 끓다 못해 다시 증발하고 그래서 몇 바가지를 더 넣고 다시 또 넣도록 닭은 잡히지 않았다. 그만두자는 말을 했지만 소용이 없었다. 이제는 "이건 먹을거리의 문제가 아니라 자존심의 문제닷!" 하며 친구들은 티셔츠가 다 젖도록 뛰어다니고 있었다. 나는 고픈 배를 움켜쥐고 하는 수 없이 그들을 구경하고 있었다. 두 시간쯤 지났을까, 거의 기운이 다 빠진 그 수탉을 거의 탈진 상태에 이른 한 친구가 겨우 잡았다. 아마 사냥터에서 멧돼지를 큰놈으로 잡았어도 그보다 더한 환호성을 지르지는 않았을 것이다. 닭 날개를 비틀어 잡고 한 친구가 말했다.

"야, 칼 어딨냐? 닭 잡아야지."

그러자 나머지 두 친구가 멀뚱한 표정으로 대답했다.

"나는 닭을 잡긴 하는데 죽이지는 못해."

"야, 잡는 게 죽이는 거야."

"난 잡긴 하는데 죽이지는 못한다니까."

그러자 세 친구가 동시에 나를 빤히 쳐다봤다.

"넌 살림 경력이 20년이니 이거 요리할 수 있지?"

우리는 꽥꽥거리는 닭을 들고 잡는 것과 죽이는 것이 다른 일이라는 것을 새삼 깨달았지만 깨달았다고 해서 뾰족한 수가 있는 건 아니었다. 하지만 우리가 누군가? 스스로 생각하기에 머리가 좋고 책 많이 읽어서 학식이 많은 사람들 아닌가. 우리는 닭을 쇼핑백 속에 넣고 입구를 스테이플러로 찍어 닭이 고개를 내밀지 못하게 제압한 다음 자동차를 타고 구례 장으로 갔다. 생닭을 잡아 파는 닭집을 찾아가 말을 꺼내려는데, 그날이 마침 복날인지라 닭을 사는 사람들이 점포마다 줄을 서 있었다. 그러니 그 집 닭도 아니고 남의 닭을 잡아달라고 하면 돌아올 말이 뻔했다. 이미 때는 점심을 훌쩍 넘겼고 우리는 눈치만 살피며 뙤약볕 내리쬐는 장터에 서 있었다. 그때 누군가가 말했다.

"아, 이 근처에 양계장 있을 거 아니냐. 거기 가서 사정을 이야기하고 닭을 잡아달라고 하면 되지 않을까?"

"양계장이 어딘데?"

"그게 뭐 어려워, 네이버에 물어봐."

그리하여 우리는 서울에서 한창 일하는 친구에게 전화를 걸어 월말이라 바빠서 안 된다는 그 친구에게, 앞으로 치킨과 맥주를 네가 질릴 때까지 사주겠다, 약속을 하면서 구례 장터 근처의 양계장을 찾아달라고 애걸했다. 잠시 후 그 친구가 주소를 문자로 보내오자 우리는 다시 30분을 달렸다. 양계장에 도착하자 그늘에 앉아 담배를 피우던 남자가 우리를 아래위로 쳐다보았다.

"저기요…… 저기…… 저희가 닭을 잡았는데…… 어떻게 죽이는지를 몰라서요."

그러자 주인은 어이가 없다는 표정으로 우리를 외면했다.

"됐거든요. 내가 방금 4백 마리째 잡고 나니까 이제 속에서 욕지기가 올라오거든요."

우리가 풀이 죽어 돌아서려는데 주인이 혼잣말처럼 툭 말을 뱉었다.

"그러길래 장터에서 한 그릇씩 사먹고 말지……. 참 서울 것들이."

그 말을 신호로 삼듯 한 친구가 주인에게 가서 두 손을 모으고 애원했다.

"저기요…… 죽여만 주세요. 네? 죽여만 주시면 저희가 어떻게 해볼게요. 제발 죽여만……. 너무 배가 고파요."

친구는 거의 흐느낄 기세였다. 주인은 우리가 우스웠는지 가여웠는지, 그 친구를 물끄러미 바라보더니 가래침을 한번 뱉고 일어나 느리게 우리의 쇼핑백을 집어 들었다. 그리고는 그 속에 들어 있는 것이 씨암탉이 아니라 잘생긴 수탉이란 것을 보자 다시 어이가 없다는 표정으로 우리를 바라보았다. 그러자 다른 친구가 다시 나섰다.

"괜찮아요. 그거 먹으랬어요. 그러니까 그냥 죽여만 주세요. 네…… 그냥 죽여만."

주인은 그 수탉을 가져가 친절하게 죽여서 털까지 다 뽑아주었다. 남자친구들은 그 닭을 받아들고 입이 헤벌어져 여기 이 여자분이 그 유명한 꽁지 작가라는, 주인은 전혀 궁금해하지도 않고 나로서는 망신뿐인 말을 하며 난리도 아니었다. 우리는 돌아와 다시 물을 끓여 닭을 고았다. 야생으로 자란 수탉은 잘 물러지지 않았다. 보통 백숙이 한 시간이면 살이 다 익는데 이 수탉은 거의 두 시간이 넘게 고아야 했으니까 말이다. 우리가 겨우 밥상 앞에 앉았을 때, 닭을 잡기 시작해서 그때까지 걸린 시간이 총 다섯 시간이었다. 게다가 그 질긴 육질이라니……. 그때 내 휴대폰 전화벨이 울렸다. 낚시인이었다.

"그래 그 수탉 맛있냐? 내가 너희들 때문에 화가 나서, 강연 끝나고 사람들하고 계곡에 와서 3만5천 원짜리 닭백숙 다 먹고 낮잠 자고 나서 입가심으로 수박 한 덩이 먹고 있다."

우리는 아무 말도 하지 않고 그 질긴 고기를 씹고 또 씹었다. 그 후로는 아무도 시골 생활의 정취를 말하는 자가 없었다.

❀ 심원계곡 쟁기소

나무를 심는 사람

눈앞의 이익을 뿌리친 아버지 왈

"낭구라 카는 거는 10년 멀리 내다보는 기 아니라,

20년 30년을 내다보는 기라."

그는 그저 평범한 농부였다. 학교라고는 가본 적이 없지만 어릴 적부터 배워야 한다는 어머님의 가르침에 따라 한글을 겨우 깨쳤다. 아내와는 열아홉에 혼인을 해서 위로 딸 하나와 밑으로 아들 둘을 두었다. 쌍계사 앞의 기름진 논은 그의 전 재산이었다. 그의 할아버지가 아버지에게 그리고 아버지가 그에게 물려준 것이었다. 그는 농부로서 아침 해가 뜨기 전에 밭으로 나갔고 저녁 해가 지고 나서야 집으로 돌아왔다. 무학이었지만 염치가 있었고 종교는 없었지만 하늘이 무서운 줄을 깨닫고 있었으며 변방의 농부였지만 세상 돌아가는 일에 무심하지 않았다.

어느 날 쌍계사 일대를 국립공원으로 조성한다는 소문이 돌면서 그에게 문서 하나가 날아왔다. 그의 땅이 쌍계사 주차장 터로 수용된다는 것이었다. 반발을 없게 하기 위해 쌍계사 관광지의 상가가 하나씩 주어지고 덤으로 다른 지역의 논도 받게 된다는 것이었다. 경제개발을 시작하면서 쌍계사 앞의 상가를 받게 되면 당장

♣ 아버지는 평생 산을 가꿨다. 처음엔 나무도 없는 민둥산이었다. 그러나 세월이 흘러 젓가락만 한 나무가 회초리만 해지고 회초리만 한 나무가 장대만 해지면서 산은 푸르고 기름지게 변해갔다.

눈앞에서 거액의 프리미엄이 붙어 거래될 것은 뻔했다. 갑자기 읍내 유흥가들이 활기를 띠기 시작했다. 모든 개발이라는 이름이 붙은 지역이 그렇듯이 바람에도 지폐 냄새가 묻어났다. 그는 무슨 생각에서인지 면사무소에 다니는 장조카를 찾아가 긴한 이야기를 나누었다. 장조카는 여러 번 어렵다는 뜻으로 손사래를 쳤지만 그의 고집은 꺾이지 않았다. 추수를 끝낸 그의 논에 불도저가 들어와 땅을 고를 무렵 그는 인근 커다란 산의 문서를 쥐고 있었다. 마을 사람들은 모두 정신 나간 짓이라고 손가락질을 해댔다. 산이라고 해봐야 후미진 곳이고 특별히 관광지가 될 만큼 경관이 빼어나지도 않았으며 그렇다고 주변에 문화유적이 있는 것도 아니었다. 게다가 나무도 없는 민둥산. 거저 준대도 가져가지 않을 사람이 많을 그럴 산이었다. 그러나 그는 관을 설득해 논이나 상가 대신 그 산을 얻어낸 것이었다.

그날부터 오늘까지 40년이 넘는 기간 동안 그의 하루 일과는 한결같았다. 아침 일찍 일어나 단정히 옷을 입고 아침을 가볍게 먹은 후 산으로 간다. 그 산의 입구에는 커다란 바위가 하나 있었는데 그곳이 그가 하루의 일과를 시작하는 곳이었다. 그는 우선 그 바위 위에 양초를 켜고 계곡에서 기른 맑은 물을 한 그릇 올려놓은 후 두 손을 모았다. 그리고 감사의 기도를 드렸다. 천지신명과 한울님과 조상님과 나무와 물과 바람과 비의 정령 그중 누구에게 기도했는지 아무도 알지 못했다. 그는 늘 감사하다고 했다. 지나온 모든 일과 일어날 모든 일에 대해서 말이다.

그리고 그는 지게를 지고 산에 올랐다. 그가 지고 가는 지게에는 코스모스보다 가녀린 묘목들과 주먹밥 두 덩이가 실려 있었다. 그는 나무를 심기로 한 것이었다. 나무를 심어본 사람은 알 것이다. 젓가락보다 조금 큰 묘목을 심어놓고 나면 솔직히 약간 한심하다는 생각이 든다. 정원의 나무도 그럴진대 하물며 생계를 잇는 논을 주고 얻은 산에 심는 나무야 더 말할 나위가 없을 것이다. 그러나 그는 고집스러웠다. 그는 그렇게 밤나무부터 시작했다. 오늘날 화개 밤이 유명한 것은 그 때문이라고 해도 과언이 아니다. 그는 그렇게 힘닿는 데까지 날마다 나무를 심었다. 동네 사람들의 비웃음은 이제 더 노골적이 되었다. 10년 후면 큰아이가 시집갈 나이인데 그때까지 산이 무엇을 줄 수 있단 말일까. 시장에서 몇 푼을 주면 한 지게를 살 수 있는 장작 같은 나무들을 왜 심는지 아무도 이해하지 못했다. 돈이 싫다는 사람도 있네, 사람들은 웃었다. 그는 외로웠을 것이다.

어느 날 그가 3남매를 불러놓고 입을 열었다.

"아부지 생각에 세상은 바뀐다. 낭구라 카는 거는 10년 멀리 내다보는 기 아이라, 20년 30년을 내다보는 기라. 아부지가 지난해에 밤을 심었는데 이제는 매화낭구를 심어 매실을 얻을 끼고 그 담엔 차를 심을 끼라. 그라믄 차를 따겠제. 지금 마을 사람들이 아부지 낭구 심는 거 보고 뭐라 캐도 너거는 신경 쓰지 말그래이. 봐라, 아부지가 매일 낭구를 심으믄 아부지가 죽기 전에 가져갈 것은 실은 아무것도 엄다. 그러나 너거들이 어른이 되었을 때는 여기서 수많은 것들을 얻을 끼고 너거들이 낳은 아그들, 그러니까 내 손주들 대에는 이 산의 나무만 가지고도 그냥 살 날이 올기다. 아비의 생각은 마 그렇다."

그때 어렸던 그의 맏딸은 아버지의 말을 잘 이해할 수가 없었다. 그러나 작은 일도 허투루 하지 않는 아버지이기에 그녀는 그냥 커다란 눈을 초롱초롱 뜨며 아버지를 믿었다. 마을 사람들이 비웃

198

❖ 아흔 가까운 아버지는 지금도 자식들에게 쪽지를 쓴다. 서툴지만 곡진한 사랑의 표현이다.

던 대로 그가 심어놓은 나무는 10년이 다 되어가도록 아무 소출도
주지 못해서 그의 집은 늘 살림이 빠듯했다. 맏딸은 워낙 인물이
좋아 그 마을의 최고 부자 아들에게 시집을 갔다. 시아버지 자리는
인품과 덕망이 나무랄 데 없었으나 하나밖에 없는 아들에 대해서
는 매운 교육을 시키지 못했다. 남편은 스무 살 되던 해부터 읍내
에서 한 대밖에 없는 스포츠카를 몰고 다녔다. 그리고 아이 둘만
달랑 남기고 마을을 떠나버렸다. 얼굴이 너무 고와 부잣집 맏며느
리가 될 거라던 딸은 맏며느리는 되었지만 아내는 되어보지 못하
고 시아버지의 주선으로 쌍계사 입구에 사찰음식점을 열었다. 젖

먹이 둘을 업고 남자들의 밥을 시중드는 딸의 식당 앞을 터벅터벅 지나쳐 그는 산에 올랐다. 하루도 빠짐없이 올랐다. 나무를 심고 또 심었다. 몇 년이 지나 묘목들이 좀 자라자 그는 이제 나무를 돌보기 위해 산에 올랐다. 나무들을 보기 전에 너른 바위에 양초를 켜놓고 기도하는 것도 잊지 않았다.

"잘 자라게 해주셔서 감사합니데이, 우리 불쌍한 딸내미 우리 불쌍한 손주들에게 줄 수 있는 건 지한테 아무것도 없심다. 그저 제가 밤톨이라도 주워줄 수 있게 좋은 날씨와 바람을 주십시오. 물 주고 수고하는 것은 제가 하겠습니다."

그는 물을 주고 지지대를 바로 고쳐 세우며 그렇게 매일을 산에 올랐다. 그는 심어놓은 나무들에게 말을 걸었다. 거짓말처럼 그는 모든 나무들을 기억하고 있었고 그들의 특성을 알고 있었다. 젓가락 같던 나무들이 회초리만 해지고 회초리만 한 나무들이 장대만 해지면서 산은 푸르고 기름지게 변해갔다. 벌써 이렇게 시간이 지났는지 놀라운 일이었다. 남의 일에 관계된 시간은 워낙 잘 가는 법이니까. 매화가 피어나고 밤꽃이 피어나고 차나무가 자라자 그는 밤을 내다 팔고 매실즙을 내고 차를 덖었다. 아들들은 아버지 옆에서 그를 도와 이 모든 것을 배웠다.

그의 3남매는 모두 지리산 자락에 터를 잡았다. 큰딸은 사찰음식점을, 맏아들은 그 산 자락에 산장을 열었고, 셋째아들은 차를 덖는 다원을 차렸다. 아흔이 다 된 요즘도 그는 아침이면 어김없이 산으로 간다. 그리고 어김없이 나무들 하나하나를 쓰다듬으며 말을 건넨다. 이제 나무들은 매년 엄청난 양의 열매들을 쏟아내어 그가 결코 헛되지 않았음을 증명해주었다. 그가 옳았다. 이제 그의 산에서 나오는 소출은 금액만도 어마어마한 것이었다.

나는 그를 직접 본 일이 없었다. 쌍계사 입구의 식당에 앉아 있으면 고운 꽃모자를 쓴 여주인이 웃으며 식당 입구에서 작은 바구니를 들고 오곤 했다.

"뭐예요?"

내가 물으면 여주인은 웃으며 아버지 이야기를 꺼냈다.

"우리 종업원들이 아버지를 우렁할아버지라고 해. 우렁각시가 아니라 우렁할아버지."

그녀가 들고 선 바구니에는 아기의 머리통처럼 동그랗고 반짝반짝 윤이 나는 연초록 애호박 한 개, 밤 한 주먹 그리고 사탕이 한 줌 들어 있었다. 여주인이 그 옆에서 꺼내든 쪽지에는 이렇게 써 있었다.

"너거 누나 갖다조라"

아마도 함께 사는 아들에게 시킨 모양이었다.

그의 맏딸인 여주인의 눈에는 어느덧 물기가 어리고 있었다. 내가 그를 궁금해하자 그녀는 내친 김에 그동안 모아놓은 아버지의 쪽지들을 가지고 나왔다.

"정란니 세비돈 조라"

"불국사에서 사온기다 달여무그면 조타"

"사소한 것 신경 쓰지 말고 너거들 자유롭게 살아라. 내는 밥 먹고 국 데워 먹으믄 된다"

"바람 차다 목에 수건 둘러라"

그 쪽지들을 보고 있노라니 이 식당 여주인이 그리 험한 세월을 바르게 살아온 힘이 어디서 나오는지 알 것 같았다. 경상도의 사내, 애정 표현이 서툰 문화에서 평생을 산, 아흔이 가까운 그가 잘 보이지 않는 눈으로 돋보기를 끼고 연필로 또박또박 "간다 조라"라고 쓰는 모습이 내게 선명하게 그려졌다. 그것은 오래된 고목보다 더 크고 무성한, 참으로 위대한 모습이었다.

❀ 나무는 언제나 위대하다.

부처를 만나면 부처를 죽이고

17세 때 출가한 스님, 평생 스승을 모시다가
사회운동에 참여하는데,
삼보일배도 모자라서 결국 스님을 사라지게 하는 이 세상은 어떤 세상인가?

그는 17세 때 출가를 했다. 속세의 일을 캐내어서 무엇하겠는가 마는 어머니의 죽음과 아버지의 재혼이 아마도 사춘기의 명민한 소년에게 많은 영향을 미쳤을 것이다. 훗날 전국을 도보순례할 때 환갑이 다 된 그는 공주산성 근처에서 중학교 소풍 때 어떤 스님이 지나가다가 교복을 입은 그의 머리를 만지며 "너 큰스님 되겠구나"했다는 말을 기억해냈다. 수덕사에 출가한 그는 덕숭 문중에 들어갔다. 거기서 그는 응담이라는 스승 밑에 상좌가 되는데 응담 스님은 40년 동안 상좌라고는 오직 수경 한 사람만을 두었다.

어느 날 응담 스님이 서산 간월암으로 거처를 옮기고 수경도 응담 스님을 따라갔다. 섬 안의 간월암에서는 물때에 맞추어 하루 두 번 정도 걸어서 뭍으로 나올 수 있었는데 노쇠한 응담 스님의 정신은 깜박깜박 흐려져 물때를 자꾸 틀리게 계산하곤 하셨다. 그날도 그랬다. 스님은 들어오고 있는 물을 나가고 있는 물이라 착각하고는 수경을 끌고 길을 나섰다. 물이 무릎까지 차오고 이어 허리까지

✤ 수경 스님(가운데)은 거리의 선승이다. 몸을 던져 걷고 온 마음을 다해 또 걷는다. 2008~2009년 '사람의 길, 생명의 길, 평화의 길' 오체투지순례를 하는 스님과 일행의 모습

차왔지만 스님은 이것이 빠지고 있는 물이라고 고집을 피우셨다. 중학교 때부터 유도를 했던 수경은 한 방에 큰스님을 기절시키고 그분을 끌고 다시 암자로 돌아왔다. 깨어나 자초지종을 깨달은 응담은 수경에게 한마디 했다.

"넌 됐다."

하안거 동안거 한 번도 빼먹지 않고 40년을 보냈다. 나중에 환경운동을 하면서도 이는 어김이 없었다. 그는 절친한 도반인 도법, 연관과 함께 천년고찰이나 그때는 거의 폐허가 되다시피한 실상사

로 들어간다. 그리고 거기서 지리산 댐이 완공되면 자기가 앉은 자리가 물바다가 된다는 것을 알게 되고 운동에 뛰어든다. 자신의 자리가 물에 잠기면 중생의 자리 또한 물에 잠기고 자신이야 다른 선방으로 떠나면 그만이지만 고통받는 중생을 두고 그리할 수는 없었던 것이다.

선승이 선방을 나와 거리로 나서면 그것은 필시 난세이다. 선승은 행정을 처리하고 대중의 셈에 바른 사판승과 달라 실은 과격하다. 그들은 진리가 하나임을 알고 그것을 향해서 온몸이 부서져라 돌진하고 있는 사람들이기 때문일 것이다. 직장에서 해고당하고 지리산에서 홀로 술을 먹고 있는 낙장불입 시인을 부른 것도 그였다. 기자 출신이고 운동 경력이 있다는 말에 낙시인을 한 번도 보지 않고도 지리산을 살릴 일꾼으로 점찍은 것도 그였다. 1999년부터 11년, 낙시인은 그를 충실히 수발했다. 수경 스님은 때로는 엄격하게 때로는 하염없이 넓은 아량으로 낙시인을 아꼈다. 아버지를 모르고 자란 낙시인이 수경 스님을 어떻게 여겼을지 나는 생각만 해도 가슴이 아린다.

그 밤 낙시인이 고알피엠의 차를 타고 급히 서울로 왔다. 여주 여강선원에 들렀다 오는 길이라고 했다. 아직 수경 스님의 잠적에 대한 기사가 다 실리지 않은 밤이었다.

"겨울옷하고 된장, 간장 등을 챙겨 떠나셨대……. 그러니 아무리 빨라도 이 겨울이 지나야 돌아오실 것 같아."

수경의 잠적 소식은 낚시인에게도 충격이었다. 그렇게도 낙천적이고 그렇게도 대담하던 분이 문수 스님의 소신공양 이후에 거의 표정을 잃고 입을 다무셨다고 했다. 문수 스님의 다비식에서 하염없이 눈물을 흘리시고는 이후에 밥을 먹어도 토할 정도로 깊은 충격을 받으신 듯했다고 한다.

"문수 스님은 그 자리에서 돌아가셨어. 보통 분신한 사람이 3도 화상을 입고 병원에 있다가 죽게 되는 것과 다르지. 그 이유는 그분이 내장까지 완전히 연소하도록 미리 석유를 드셨기 때문이야. 그러면서도 가부좌를 틀고 입가에는 미소까지 지은 채로 돌아가셨지. 어떻게 그럴 수 있을까? 그것은 생과 사가 이미 하나이고 중생과 내가 이미 하나인 것을 깨달았기 때문이야. 그분은 최근 3년 동안 벽만 보고, 넣어주는 하루 한 끼 밥만 먹고도 그걸 깨달으신 거야. 이제 내가 죽어야 할 차례인 것 같은데 낚시인, 나는 아직도 죽음이 두렵다. 그러니 나는 신도들에게 절을 받을 자격이 없는 중인 거야."

낚시인과 나는 아무 말 없이 순례 속에서의 수경을 회상했다. 언제였던가. 새벽에 깨어나 화장실에 가려던 나는 누군가가 여자 화장실에 있는 것을 보고 소스라치게 놀란 적이 있다. 아직도 어두운 새벽, 머릿속으로 성추행, 성폭행 등의 흉흉한 단어가 떠다니는데 자세히 보니 수경 스님이었다. 그는 두 손에 커다란 뭉치를 잔뜩 들고 나와 버리고서는 냇물로 가서 손을 씻고 다시 자신의 처소

✤ 2004년 생명평화 탁발순례에 나선 수경 스님(우)과 도법 스님

로 들어갔다. 나중에 알고 보니 그는 삼보일배를 하는 새벽에도 어김없이 가장 먼저 일어나 풀과 모래를 섞어 맨손으로 화장실을 닦는다고 했다. 아침마다 깨끗했던 순례단의 화장실이 그의 덕이었다는 것을 나는 그제야 알았다. 무릎연골이 다 닳아 걷지도 못하는 분이 어떻게, 싶자 나는 그만 숙연해져버렸던 기억이 있다.

언젠가 우리가 수경 스님의 흉을 보던 자리가 있었다. 낚시인이 "너무 목욕을 안 하셔" 하자 버들치 시인이 덩달아 "목욕만 안 하는 줄 아니? 양말도 안 빨아. 저번에는 스님과 같은 방에서 자는데 스님이 양말을 홱 벗어던지시는데 양말이 부츠처럼 턱 하고 서는 거야" 하는 것이었다. 땀과 소금기에 절어 부츠처럼 서는 양말을 본 일이 있는지. 우리는 배를 잡고 웃는데 버시인이 한술 더 떴다. "그래도 희한하게 냄새는 안 나. 채식만 하셔서 그런 건지 말이야. 그런데 회의 중에 항상 옷 속으로 손을 넣어서 때를 밀잖아. 그리고 그걸 몰래 하는 게 아니라 꼭 때 민 것을 눈높이로 올려 그걸 확인하고 또 앞에 가지런히 모아요. 벌레들 준다고." 그것이 물을 아끼느라 한여름 개울가에서도 바가지 하나로 목욕하는 수경의 습관이었다. 그런 그에게 4대강을 파헤치고 그곳에 있는 사람들과 뭇 생명을 죽이는 공사가 어떻게 다가왔을지는 짐작하고도 남는다.

그가 스님 된 지 40년 만에 하는 수 없이 화계사 주지가 된 일도 기억이 났다. 난생 처음 주지라는 것을 맡고 절에 가보니 한마디로 대책이 없었다. 스님은 부임하는 날 딱 한마디를 했다.

"너희들 하던 대로 그대로 하거라."

그리고 스님은 작은 뒷방에 짐을 풀고 날마다 제일 먼저 일어나 마당을 쓸고 불단을 청소하고 염불을 외웠다. 처음에는 반신반의 하던 스님들은 석달이 지나자 누가 먼저랄 것도 없이 아침 일찍 일어나 청소를 하고 염불 준비를 했다.

내가 그곳을 방문하던 날 어떤 나이든 보살이 날 잡고 말했다. "에구 절에 진짜 중이 있네." 그러더니 다시 말하는 것이었다. "염불하시는 솜씨를 보니 알바만 뛰어도 30분에 3백만 원은 족히 받겠구먼."

210

언젠가 해인사 극락전이 부서지고 거기서 스님의 발원으로 21일 참회단식이 끝나던 날 스님의 짐 속에 웬 노트가 보이기에 살짝 열어보았더니 노트 한 권 가득 맛집 기행이 스크랩되어 있었다. 우리가 깔깔거리자 스님은 겸연쩍어하시며 얼른 노트를 빼앗아 들더니 "굶으면서 잡지를 보니까 웬 먹을 게 이렇게 많이 보이는지 말이야" 했다. 나는 두꺼운 안경 속에 가리어진 스님의 눈을 보며 웃었다. 참회단식을 하면서 몰래 방에 들어와 가위로 정성스레 국숫집, 우동집, 냉면집의 기사를 오리는 그 모습을 상상하자, 죄송한 말씀이나 너무 귀여우셨기 때문이었다. 스님이 먹을 것에 초연한 사람이었다면 나는 그의 잠적이 이렇게 슬프지는 않았으리라. 된장, 고추장, 간장 그리고 겨울옷······.

절뚝이며 그는 어디쯤 가고 있을까. 선방에서 3년 면벽한 스님을 불태우는 나라는 어떤 나라인가. "4대강 개발을 즉각 중단하라. 소외된 사람을 배려하라"는 당연한 말을 제 몸에 불을 붙여 해야만 하는 이 나라는 대체 어떤 나라인가? 그러고도 눈 하나 꿈쩍하지 않는 세상은? 40년을 선방에 있던 스님을 불러내 삼보일배를 하게 하고 결국 사라지게 하는 세상은 어떤 세상인가? 낚시인은 그 밤 내게 여강선원에 계시던 스님의 일화를 들려주었다.

"스님은 '지리산 행복학교' 연재를 좋아하셨어. 접때 네가 그렇게 썼잖아. 어떤 신부님이 '이놈들아 너희들은 밤마다 하면서 여기 이분들이 일평생 한 번 할까 말까 한 걸 가지고 그러냐.' 하고.

❖ 순례 모습

❖ 순례 중의 수경 스님

그게 실은 신부님이 아니라 명진 스님이었잖아. 그러니까 수경 스님이 그걸 보시고는 눈을 똘망똘망 빛내시더니 "명진이 여기서는 신부가 되었네" 하더니 다시 나를 보고 또 물으시는 거야. "그런데 낚시인, 정말 결혼하면 날마다 하는 거 아니야? 정말이야?"

처음으로 국가자격증 따기

•
•
•

낙향을 했다 낙향에 실패한 사업가가 버들치 시인에게
스쿠터를 남기고 떠났다.
버시인 소식에 최도사도 스쿠터를 장만했는데, 두 사람 모두 면허증이 없으니…

난데없이 버시인에게 스쿠터가 한 대 생겼다. 언제부턴가 지리산에 이주해 억대를 호가하는 집을 짓고 두문불출하던 이가 있었는데 그 사람이 결국 지리산 자락 정착에 실패하고 떠나면서 버시인에게 기증을 한 것이었다.

한 시간가량 그에게서 스쿠터 타는 법을 배운 버시인은 아무에게도 그 사실을 말하지 않고(특히 낚시인은 자신 외에는 아무도 오토바이 비슷한 것을 타지 못하게 했다. 고알피엠은 지금도 빨간 헬멧에 커다란 스포츠 안경을 끼고 스쿠터로 섬진강변을 '간지나게' 달리고 싶어하지만 낚시인의 반대에 한 번도 그 꿈을 이루지 못했다) 살살 그것을 타다가 어느 날 내비도 교주 최도사에게 갔다.

툇마루에 앉아 솟대를 깎고 있던 최도사는 작은 원동기 소리가 들리기에 우체부인가 하고 내다보았는데 얼굴은 거의 백짓장처럼 희게 변하고 입은 입술이 보이지 않을 정도로 굳게 다물고 자전거도 아니고 오토바이도 아닌 기계를 타고 자신의 집으로 올라오는

✤ 버시인(좌)에게 스쿠터가 생겼다. 최도사(우)도 덩달아 스쿠터를 마련했다. 원동기 면허시험을 보러 가서는 곡절 끝에 국가자격증을 손에 쥔 두 사람. 당당히 '라이더'로 거듭난 둘은 헬멧에 선글라스를 끼고 섬진강변을 누빈다.

사람을 보게 되었다. 믿을 수 없게도 그는 버들치였다. 최도사가 천천히 대문 앞으로 나가자 버시인이 스쿠터를 멈추고 최도사에게 말했다.

"내가 이걸 타고 오긴 왔는데, 내릴 수가 없으니 도와주게."

휑하니 뚫린 스쿠터에서 내릴 수가 없다니 이해가 가지 않는 그가 물었다.

"내릴 수가 없다니, 엉덩이가 붙어버리기라도 했어?"

그러자 버시인은 거의 울상이 되며 말했다.

"글쎄, 날 좀 내려줘."

최도사가 어이가 없어 그를 내리려 하니 그는 기마자세 그대로 굳어 있었다. 지난날 원양어선을 타봤고 자칭 살인과 도둑질 빼고 해보지 않은 일이 없다는 최도사도 아직 죽지도 않은 사람이 이렇게 굳은 것을 처음 보았다. 하는 수 없이 그는 마른 버시인을 번쩍 들어올려 스쿠터에서 꺼냈다. 버시인은 팔은 앞으로 굳고 다리는 구부정하게 굳어서 아무 데도 앉을 수가 없었다. 한 시간쯤 팔다리를 주무르고 마사지를 하고 나자 버시인은 겨우 앉을 수 있었다.

안 해본 일 없는 최도사는 30분 남짓의 운행에 지쳐 거의 탈진 상태가 된 버시인을 방에 재우고 스쿠터 주변을 천천히 맴돌았다 . 안 그래도 지난겨울 주차 일이 없을 때 강원도 펜션의 친구에게 가서 석 달 동안 집을 봐주고 받은 돈을 어디에 쓸까 궁리하고 있던 그였다.

며칠 후 최도사도 헬멧을 쓰고 스포츠용 선글라스를 쓴 채로 버시인네 집에 도착했다. 버시인을 놀라게 해주려고 멀리서 시동을 끄고 그의 집으로 다가가자 마당에서 승강이하는 소리가 울타리 밖으로 빠져나왔다. 여복이 많은 것인지, 여난이 많은 것인지 또 여자가 온 모양이었다. 그리고 이번 여자도 버시인에게 냉정히 쫓겨가는 중인 모양이었다.

여자가 말했다. "가라 하시면 가겠사옵니다. 그래도 제가 정성껏 차려온 것이니 물리지 마시고 한 끼라도 맛있게 드셔요. 버시인께서 맛있게만 드셔주신다면 더 바랄 게 없사옵니다."

여자는 분홍 보자기를 펼쳤다. 뚜껑을 다 덮은 한 끼의 가정식이 나타났다. 대체 버시인은 무슨 부적을 지녔기에 여자들이 저렇게 꼬이는지, 그것도 날개를 갓 뗀 천사들만 꼬이는지 알다가도 모를 일이었다. 여자가 눈물을 글썽이며 돌아서려 하자 버시인이 말했다.

"앞으로는 오지 마셔홋! 하지만 오늘은 이왕 왔으니 차는 한잔하고 가셔홋!"

말의 내용은 야멸치지만 뉘앙스는 한없이 부드러워서 여자들이 혹시나 하고 다시 오게 하는 힘. 대체 사내자식이 '마셔홋' '가셔홋'이 뭐란 말인가.

그녀가 돌아가고 나자 마을 어귀에서 담배를 피우던 최도사가 드드드드 소리를 내며 당당히 버시인네 집 앞으로 들어섰다. 툇마루에 앉아 담배를 피우던 버시인은 놀란 표정으로 그를 맞았다. 그리고 심각한 어조로 말을 꺼냈다.

"자네 면허 있나?"

"면허? 하하하 버시인 이것은 50cc밖에 안 되는 거라 면허가 필요 없어."

"아니야, 법이 바뀌었대. 무조건 원동기 달린 것은 다 면허가 있어야 한대. 그래서 나 하는 수 없이 시험보기로 했어."

버시인이 손에 들고 있는 원동기 면허시험 예상 문제집을 펼쳤다. 사태가 심각해지는 것 같았다. 명색이 자동차를 이리 가라, 저리 가라 질서를 잡아주는 주차요원인 그가, 더구나 도사인 그가 무면허 운행을 할 수는 없었다. 그래서 두 사람은 그 주말 시험을 보러 군청으로 갔다.

응시자는 모두 네 명. 경찰은 버시인과 최도사가 딱 붙어서(왜냐하면 최도사는 버시인만 믿고 왔으니까) 들어서는 것을 보자 버시인을 맨 앞에 앉히고 아주머니 한 사람과 청년 한 사람을 그 사이에 앉힌 후 최도사를 맨 뒤에 떼어놓았다. 시험지가 나누어지자 최도사는 옆자리의 청년을 힐끗 보았는데 그는 최도사의 기미를 눈치 챘는지 거의 은행 현금 자동지급기에서 모자 수건 등을 이용해 비밀번호를 가리고 누르는 자세로 두 팔과 얼굴 등을 사용해 절대 최도사가 보지 못하도록 시험지를 가리는 것이었다.

"이러니까 우리나라가 이 꼴인 거야. 저런 인간들 때문에 4대강이 마구 파헤쳐지고 천안함이 가라앉고 김길태 같은 놈들이 나타나는 거야. 저런 인간들 때문에 월드컵 16강에 들자마자 떨어지고 난데없이 문어가 스페인의 우승을 맞히는 거야. 그리고 뜬금없이 펠레가 여태껏 저주만 일삼다가 슬쩍 문어를 커닝해서 우승자를 맞히는 거야. 문어가 어디 펠레 못 보게 점괘를 가리더냐고. 그러니 좀 좋아? 문어도 맞히고 펠레도 맞히고."

최도사가 청년을 째려보며 중얼중얼하는 동안 경찰이 다가왔다.

"떠드시면 안 됩니다."

✤ 최도사와 꽁지 작가

최도사는 문제를 들여다보았다. 검은 것은 글씨고 흰 것은 종이
였다. 청년은 얼른 답을 쓰고 시험지를 제출하고는 나가버리는 것
이었다. 아주머니도 나갔다. 버시인은 꼼짝도 안 한 채 시험문제에
열중하고 있었다. 최도사 옆으로 다시 경찰이 다가왔다. 최도사는
그래도 체면을 차리려고 답안지에 아무 번호나 쓰기 시작했다. 처
음 문제에 2라고 썼다. 왠지 그럴 것 같아서였다. 그러자 난데없이
얼굴 앞으로 어떤 손가락이 쑥 들어섰다. 경찰이었다. 그리고 손가
락은 좌우로 흔들렸다. 틀렸다는 뜻이었다. 최도사가 3이라고 쓰
자 손가락이 아래위로 까딱거렸다. 맞았다는 것이었다. 시험이 끝
나고 최도사가 중얼거렸다.

"이러니 우리나라가 그 어려운 아이엠에프 세계 불황 이런 거
극복하고 일어선 거야. 이러니 우리가 식민지에서 원조 국가로 발
전한 거야. 이러니 월드컵 16강에 들게 된 거야. 내가 태어난 이래

최근 천지개벽한 곳을 두 개 꼽으라면 첫째가 고속도로 화장실이요, 둘째가 경찰이야, 흐흐."

그들은 시험을 마치고 운동장으로 나갔다. 어디서 시험을 보나 싶어 궁금해하고 있는데 경찰이 차 트렁크에서 삽을 꺼내 운동장에 쓱쓱 금을 그었다. 그러고는 그 금을 밟지 말고 스쿠터를 타보라는 것이었다. 최도사가 먼저 지원을 했다. 그는 금을 하나도 밟지 않고 통과했다.

버시인은 또다시 긴장한 얼굴이었다. 그의 차례가 되자 버시인은 스쿠터를 몰았다. 경찰이 통과라는 뜻으로 고개를 끄덕였다. 그런데 버시인은 무슨 생각에선지 경찰에게 다가갔다. 그리고 고해성사라도 하듯 무겁게 입을 열었다.

"저, 못 보신 모양인데 마지막에 제가 금을 좀 밟았습니다."

"괜찮아요."

경찰이 건성으로 대답했다. 버시인이 답답하다는 듯이 고개를 저었다.

"못 믿으시겠으면 이리 와보세요. 제가 금을 밟은 자국이 여기 이렇게…… 있잖아요."

버시인이 심각하게 말하자 경찰은 삽으로 버시인이 약간 흘트린 10센티미터의 금을 다시 그었다.

"버시인님이시죠? 시인이 어떻게 운전을 그리 잘하겠어요? 참 방금 무전 왔는데 버시인님 필기가 만점이랍니다. 우리 군내 역사상 처음 있는 일이라네요. 온 경찰이 감탄하고 있어요. 참으로 여러 가지가 훌륭하신 분이십니다. 존경합니다. 일주일 후에 경찰서로 와서 면허증 찾아가십시오."

"우리 다 합격한 겁니까?" 듣고 있던 최도사가 물었다.

경찰은 최도사를 물끄러미 쳐다보며 말했다.

"그래도 교통법규 공부를 꼭 하시겠다고 약속하시면요."

최도사가 고개를 끄덕이자 경찰이 두 사람 다 합격이라고 말했다. 그러자 그 순간 누가 먼저랄 것도 없이 버시인과 최도사는 힘차게 서로를 끌어안았다. 그리고 감격의 눈물을 글썽였다. 국가로부터 '조우떼기' 하나라도 받아본 일이, 아니 자격증을 받아본 일이 처음이었기 때문이다.

그들은 이 소식을 온 마을에 알리려 몰래 숨겨둔 스쿠터에 올라탔다. "아직 면허 없어서 안 됩니다." 경찰의 소리는 그들의 낡은 스쿠터 모터 소리에 묻혀 들리지 않았다.

✤ 지리산 인근의 들판. 버시인과 최도사는 달릴 것이다.

그 여자네 반짝이는 옷가게

∴

갈 곳 없는 세 가족 섬진강에 둥지를 틀고,
아내의 소원을 들어주기 위해, 천막을 치고 옷가게를 연다.
고알피엠 여사 낚시인에게 옷 사달라고 조르는데…

15년 전에 무슨 일이 있었는지 혹시 기억하고 계시는지. 가만, 그땐 나도 엄청 청춘이었다. 것도 모르고 그때부터 겉늙은이 행세를 하며 온갖 포즈를 지었던 것을 생각하면 부끄럽기도 하고 우습기도 하고 약간 억울하기도 하다. 그때 발표한 소설을 보면 왜 그렇게 아는 게 많은지 얼굴이 다 화끈거릴 지경이다. 그러나 원래 청춘의 특징이라는 게 자기가 청춘인 줄 모르는 것에 있기도 하니 하는 수 없기는 하다. 1995년, 그때 지난번 최도사가 중얼거린 대로 우리나라 고속도로 화장실이 이렇게 럭셔리했고 경찰들이 지금처럼 친절하셨던가? 무엇보다 그때는 20세기, 결국 지난 세기가 아닌가 말이다.

그해 초봄 아직도 바람이 쌀쌀한 어느 날 갓난아이를 업은 여인과 한 사내가 섬진강변으로 흘러들어온다. 사내는 파르라니 짧은 머리 위로 털모자를 뒤집어쓰고 있었다. 세 식구는 머리 둘 곳 하나 없어 무작정 섬진강변에 누런 천막을 쳤다. 경상도 말씨를 쓰는

✤ '빤짝이'는 여자들의 숨겨진 꿈일까. 섬진강변 천막 옷가게에서 낙장불입 시인의 아내 고알피엠 여사가 반짝거리는 옷을 몸에 대보고 있다.

✤ '빤짝이'를 고르고 있는 고알피엠 여사에게 참견하는 꽁지 작가

깍두기 머리의 사내들이 몇 번이나 찾아왔지만 사내는 그들에게 고개를 젓고 섬진강변을 떠나지 않았다.

90년대 넘어 우리나라에서 가장 아름다운 길이라는 19번 국도는 주말마다 몰려나온 차들로 막히기 시작했다. 갑자기 주머니는 넘치는데 머리는 비어가는 사람들이 그렇듯, 아름다운 섬진강변에는 일요일 밤마다 쓰레기들이 넘쳐났다. 누런 천막에서 나온 사내는 누가 시키지도 않았는데 쓰레기를 주웠다. 그리고 봄이 오자 쓰레기를 치운 빈터에 산에서 캐온 꽃과 나무를 심었다. 신기하게도 사람들은 꽃이 있는 곳에는 쓰레기를 버리지 않았다.

사내는 어느 날 누군가 버리고 간 고물 트럭을 그 꽃들을 심은 자리에 가져다 놓았다. 사내는 지리산을 오르며 칡과 약초, 온갖 열매를 따왔다. 아내는 고물 트럭을 개조해서 만든 주방 옆에 아이를 눕히고 간이 가스레인지에 불을 붙여 커피와 칡즙을 팔았다. 의외로 수입이 되었다. 조금씩 품목을 넓혔다. 삶은 계란과 소주 그리고 2천 원짜리 잔치국수도 만들어 팔았다. 조금도 속임수가 없던 부부의 성실함 때문이었을까. 지리산은 그렇게 넉넉히 먹을거리를 댔고 섬진강은 사람들을 불러주었다.

그러자 주변의 시기가 만만치 않았다. 수입이 짭짤하다는 소리를 들은 사람들이 군청과 경찰에 신고를 해댔고 여러 번 관청에서 사람들이 나왔다. 그러나 여기는 지리산 자락, 사람들은 그가 어떻게 이 섬진강변을 청소하고 꽃과 나무를 심었는지를 10여 년 동안 보았기에 차마 그를 쫓아낼 수는 없었다. 그가 심은 등나무 줄기가 벌써 어른 팔뚝만 해지는 동안 섬진강변을 지킨 그였다. 그는 특별히 그곳에서 장사를 해도 좋다는 허가를 얻어낸다.

조그맣지만 집도 얻고 밑으로 하나 더 태어난 아이도 잘 자라고 있던 날 어느 날 아내는 암이라는 판정을 받았다. 흔한 말로 '살 만하니까 이제'였다. 병원에 가서 누워 있을 처지가 아니라며 아내는 죽는 날까지 한 푼이라도 더 벌어 아이들 학비라도 저축하겠다고 했다. 눈보라 치거나 비바람 심한 날만이 아내의 공휴일이었다. 그런 날이면 아내는 집에 드러누워 신음소리 하나 내지 않고 앓았다. 그리고 다시 날이 개면 항암치료 때문에 빠진 머리를 가리기 위해 털모자를 뒤집어쓰고 다시 국수를 삶고 커피를 끓였다.

사내는 할 말이 없었다. 그는 무작정 산으로 갔다. 하늘이 있다면, 산신이 있다면, 아니 귀신이라는 게 있다면 자신을 돌보아주어야 한다고 그는 맘속으로 절규했다. 그리고 모든 죄 없고 가난한 사람들이 그렇듯 "잘못한 게 많았다, 참회한다"고 외쳤고, 소박하고 경건한 사람이 그렇듯 "낫게만 해주시면 열심히 살겠다"고 수없이 머리를 조아리며 맹세했다. 산은 그에게 오솔길을 터주었고 그는 좁은 길들을 따라 사람의 발자취가 거의 닿지 않은 곳으로 더 높이 더 깊이 들어섰다. 언젠가 귀동냥으로 들은 적이 있는 온갖 약초와 버섯을 캐다가 저녁이면 풍로를 피워 그것을 손수 달였다. 그리고 그것을 아내에게 먹였다. 그가 줄 것은 지리산이 주는 그것밖에 없었다.

아내는 그보다 담담했다. 다만 사내에게 한 가지 소원이 있다고 말했다. 죽기 전에 꼭 해보고 싶은 그것. 사내는 그것이 무엇이든 들어주겠다고 했다. 아내는 옷가게를 차려달라고 했다. 설악산에

❖ 꽁지 작가가 국수 먹는 모습을 "또 먹네" 하는 표정으로 바라보는 사람들

❖ 푸짐하게 말아진 잔치국수 한 상

가보고 싶다는 것도 아니고 비행기를 태워달라는 것도 아니고 백화점에서 쇼핑을 하는 것도 아니고 옷가게를. 하지만 병원에 갈 돈도 없는데 무슨 돈으로 옷가게를 차린단 말일까. 아내는 뜻밖에도 간이 트럭 옆에 조그만 천막 하나면 충분하다고 했다. 그가 아내의 말대로 천막을 쳐주자 아내는 어느 날 아픈 몸을 이끌고 서울행 버스를 탔다. 그리고 커다란 보따리를 하나 들고 나타났는데 그곳에는 뜻밖에도 반짝이는 구슬과 인조 보석과 금가루 은가루가 뿌려진 옷들이 들어 있었다. 맙소사 섬진강가에서 감히 입어보지도 못할, 아니 대처인 전주로 간다고 해도 무대 위가 아니면 입고 나갈 수도 없는 그런 반짝반짝한 옷들이 팔리기나 할 것인지. 그러나 아내는 행복해 보였다. 그렇게 행복한 얼굴은 처음이었다. 아내는 정성들여 그것을 천막 안에 걸었다. 가격표도 붙였다. 그리고 이제 죽어도 여한이 없다고 했다.

그렇게 시간이 갔다. 아내는 돈을 모으면 서울로 갔고 반짝이는 옷들을 사왔다. 참 세상에 이런 일이. 잔치국수나 칡즙을 먹으러 차를 세운 여자들이 하나둘, 옷에 흥미를 나타내기 시작했고 조금씩 팔려나갔다. "대체 그걸 입고 어딜 가려고 해?" 하고 누군가 물으면 중년의 여자들은 미소만 짓고 대답하지 않았다. 사내는 여자들은 정말 알 수 없는 종족이라는 생각을 더욱 굳혔다. 그렇게 섬진강이 흘렀고 시간이 갔다.

지리산은 한결같이 약초와 버섯을 내주었고 눈이 오나 비가 오나 약초를 달여 아내에게 먹인 어느 날 버들가지처럼 마르던 아내가 조금씩 살이 붙기 시작했다. 두근거리는 마음으로 병원에 가니 결과는 "기적 같은 완치"

어느 날 은빛 오토바이를 타고 가던 낙장불입이라는 시인이 그곳에 들러 잔치국수를 청했다. 얼마나 배가 고팠는지 두어 젓갈에 그것을 다 들이켰다. 아내는 손님 몰래 다시 물을 끓였고 한 그릇을 더 내밀었다. 낙시인은 잠시 망설이다가 그것을 받아 달게 먹었다.

그리고 그 다음번 지나가다가 그곳에 들러 커피를 한잔 마시고는 누런 봉투를 하나 내밀었다. 누런 봉투 속에는 그의 시집이 들어 있었다. 그날 밤 부부는 처음으로 시집이라는 것을 폈고 남편이 한 수 읽고 아내가 한 수 읽었다. 시집 앞에 휘갈겨진 친필 사인이 너무 황송해서 부부는 그것을 고이 싸서 두었다.

그리고 어느 날 낙장불입 시인이 곱상하게 생긴 해사한 남자를 데리고 왔다. 그는 손에 두꺼운 잡지를 들고 있었는데 그가 쓴 시가 거기에 실렸다고 했다. 부부는 그 잡지를 받아들었다. 아내가 그것을 읽었다. '그 아저씨네 간이 휴게실 아래 그 여자의 반짝이는 옷가게' 버, 들, 치, 읽어 내려가다가 아내는 다 읽지 못하고 목이 메고 말았다. 그러자 버들치가 그것을 받아들어 마지막 구절을 읽었다(버들치 시인은 원래 무대에 서는 것, 마이크 든 척하고 노래 부르는 것, 사회 보는 것, 그리고 시낭송하는 것을 좋아한다. 다른 사람들은 그중 시낭송은 좀 좋아한다).

선풍기도 난로도 아니 전등도 하나 없는

간판도 없는 두어 평 비닐하우스 무허가 옷가게

어려서나 더 젊어서 한 번도 입어보지 못했던

반짝이는 반짝이 옷,

너울너울 인형 같은 공주 옷을 파는 옷가게

그녀에게서 사온 옷을 안고 잠을 청하면

푸른 섬진강물이 은빛 모래톱 찰랑찰랑 간질이는 소리

동화 속 공주가 나타나는 꿈

알 만한 사람은 다 알지

구례에서 하동 사이, 길에서는 보이지 않는 반짝이는 옷가게

그녀가 웃고 있다

모처럼 시 고료를 받은 낙장불입 시인은 어느 날 고알피엠과 함께 그 가게에 갔다. 고알피엠은 이번에 거창에서 열리는 세계 1인 극제 개막식 공연에 초대받은 동네밴드의 보컬이었다. 옷가게에 들어선 고알피엠은 탄성을 질렀다. 이것도 예쁘고 저것도 예쁘고 하다가 노란 날개 옷을 골랐다. 그리곤 낙시인에게 말했다.

"여보 나 이거 사줘! 그런데 이렇게 빤짝이에(반짝이가 아니다!) 집착하다니 나도 나이가 들었나 봐."

낙시인은 중얼거렸다.

"대체 저런 옷을 누가 입을까 궁금했는데 그게 내 마누라라니
헐!!"

기타리스트의 가이드 알바

:

어려운 농사일도 배우고 이제는 관광가이드까지 나서는데
지리산활공장이 무엇인지 몰라서야!

시험을 보고 난 후에 잘 봤느냐고 물으면 대개 "응"이라고 대답하는 쪽이 공부를 못하는 아이일 확률이 높다. "아니요, 망쳤어요"라고 대답하는 아이는 아주 공부를 잘하는 우등생이고 말이다. 농사일도 마찬가지여서 기타리스트는 여름이 오자 별로 할 일이 없었다. 유기농법이 뭔가. 벼들이 스스로 알아서 자라다가 나중에 벼가 익으면 되는 것이다. 벼를 뭐 꼭 베어서 말리라는 법이 있나, 서서 말리면 더 자연스럽지 않나 말이다. 해보지도 않고 안된다고 하는 이들은 그에게는 딱 질색이었다.

그래서 한가한 이번 여름에는 아르바이트를 하기로 했다. 지리산 섬진강 관광 안내를 자청한 것이었다. 그런데 그가 소문을 내자 입질은 뜻밖에도 그의 처가 쪽에서 왔다. 장모님의 후배 친구분의 조카사위의 처형 내외가 결혼 생활 20년 만에 처음으로 동부인 나들이를 하는데 그에게 가이드를 부탁한 것이었다. 이 소식을 들은 그는 기쁨에 겨워 자신이 가입한 카페 게시판마다 이 소식을 알리

❖ 노래 부르고 연주하는 동네밴드. 겨우 합주를 하는 수준이지만 노래하는 쪽이나 듣는 사람들은 언제나 행복하다.

고, 자신이 앞으로 이 일을 계속할 것이고 상황을 보아서 지리산을 전문으로 하는 여행사 설립의 포부가 있음을 밝혔다. 그런데 뜻밖에도 댓글들이 시원치 않음은 물론이고 귀농한 지 2년도 안 되는 자네가 내게 우선 가이드를 받게, 하는 등 듣기에 따라서는 모욕적인 내용도 있었다.

마침 그때 꽁지 작가가 내려와 있었는데, 그는 그녀에게 자신의 노력이 이렇듯 비웃음을 산 나머지 예민한 마음에 깊은 상처를 입었다는 것을 토로했다. 꽁지 작가는 그를 격려하면서 괜찮다고 했다. 실은 꽁지 작가는 어찌어찌 독일 베를린에서 1년을 살다가 온 일이 있었다고 했다. 고국으로 돌아온 이듬해 프랑크푸르트 도서전에 한국이 주빈국으로 참가하게 되자 작가는 물론 화가, 음악가 등이 대거 프랑크푸르트를 방문하게 되었다. 그때 꽁지 작가의 친구 중에 한 판화가는 해외여행이 처음이었다. 그는 공항에서부터 꽁지 작가의 옷소매를 붙들고 "꽁지야, 너 나 버리고 혼자 가면 안 돼. 응? 너 꼭 나하고 같이 다녀야 해" 하고 울상을 지었다. 비행기에 타면 잠에 떨어지는 나머지 평생 시차라고는 겪어본 일 없는 꽁지 작가는 그래서 그날 비행 시간 내내 그 판화가 친구가 독일에 대해 질문을 하도 해대는 바람에 한잠도 못 잤다고 했다. 화가 좀 나긴 했지만 마흔이 넘어 하는 첫 해외여행이니 그럴 수도 있다 싶어 참았는데, 이틀이 지나자 친구가 보이지 않더니 사흘째 되는 날 도서전이 열리는 광장 앞에서 친구 서너 명을 몰고 다니며 독일 가이드를 자처하는 판화가를 보았다는 것이다. 꽁지 작가는 그러니 기타리스트가 지리산에 내려와 2년이나 살고 나서 하는 가이드는 그보다는 훨씬 나을 것이라고 했다.

　기타리스트는 의기양양 구례구역으로 부부를 마중하러 나갔다. 부부는 기타리스트를 보자마자 두 손을 모으고 기도를 올렸다. 강원도 어디라든가에서 목회를 하는 목사님 부부였다. 앞으로 여행사를 차리려면 무엇보다 내가 아니라 손님의 구미에 일정을 맞추어야 했으므로 그는 따라서 손을 모으고 기도하는 척했다. 점심시간이었으므로 그들은 우선 역 앞의 식당으로 갔다. 이 집 주인도 독실한 신자이므로 이분들이 목사님 내외라는 것을 알면 대우가 달라질지도 몰랐다. 그들은 서시천이 바라다보이는 식당에 자리를 잡았다.

"목사님, 시원하게 맥주 한잔 곁들이시겠습니까?" 목사가 약간 진보적이라는 정보를 들은 그는 일단 간을 보았다. 역시 운동권 출신 목사답게 그는 반색을 하며 "아하 그거 좋지요" 했다. 그런데 주인이 메뉴판을 들고 오자 목사의 낯빛이 바뀌더니 한사코 맥주 같은 것은 안 먹겠다고 하는 것이었다. 당황한 기타리스트는 맥주 한잔쯤이야 이 더위에 뭐 어떠냐고 말을 건넸지만 소용이 없었다. 주인이 나가자 목사가 물었다.

"혹시 저분에게 들어오면서 내가 목사라고 했습니까?"

기타리스트는 의기양양, "아 그랬죠. 여기 주인이 독실한……."

그러자 목사가 천장 위의 스피커를 가리켰다. "아까 제가 들어서자마자 갑자기 찬송가가 흐르기 시작했어요. 분위기가 이런데 어떻게 술을 마시겠습니까."

그러고는 낙담한 표정을 지었다. 잠시 후 참게탕이 나오자 목사는 기도를 시작했다. 처음에 끝날 듯 끝날 듯 이어지던 기도는 끝도 없이 이어져 그들이 결혼하던 날부터 고생스럽게 사목을 시작하고 어찌어찌 아이를 낳아 기르고 이제 동부인하여 20년 만에 이렇게 여행을 떠나오게 된 것이 감사하다는 내용이었다. 기타리스트는 눈을 감고 기도했다.

✤ 장마철의 섬진강 모습. 부연 물안개가 몽환적 분위기를 자아낸다.

"하느님, 제발 목사님 기도가 빨리 끝나게 해주십시오."

목사와 그 사모님은 몹시 뚱뚱했다. 기타리스트의 티코는 너무 작았다. 그러나 기타리스트는 열심히 그들을 안내했다. 운조루와 쌍계사 다원과 화개장터. 마지막 코스로 그들은 가파른 오르막 산길로 들어섰다. 팻말에는 '지리산활공장'이라는 표시가 있었다. 목사가 말했다. "제가 386세대입니다. 제가 대학 때 우리도 농활이니 공활이니 한다고 방학 때마다 공단으로 농촌으로 떠났었죠. 그런데 역시 이 지리산, 좌와 우의 이념이 대립한 비극의 현장인 이곳에는 산활을 할 수 있는 곳이 있군요." 그러자 사모님이 물었다. "농활 공활은 들어보았는데 산활은 뭐예요?" 목사는 허허 웃으며 대답했다. "당신은 아직 그것도 모르는군요. 바로 살아 있는 체험을 하는 곳이라는 뜻이겠죠." 그러자 사모님은 감동에 겨운 목소리로 대답했다. "그래요. 나는 그런 줄도 모르고 이곳에 대나무가 많이 나니까 활을 만드는 공장이 있는 줄 알았어요."

트랜스미션을 갈 때가 다 된 기타리스트의 티코는 겨우겨우 '지리산활공장' 위로 도착했다. 그의 차가 조금만 좋은 것이었다면 두 사람의 말에 참견하고 싶었지만, 트랜스미션이 낡아 언제 뒤로 밀릴지 몰라 긴장하는 바람에 그는 미처 부부의 대화에 끼어들 틈이 없었다. 그때 마치 연극의 한 장면처럼 홀연히 바람이 불고 산 아래 걸친 구름이 커튼처럼 열리면서 시야가 환해졌다. 기타리스트의 입에서 탄성이 나왔다.

"저기 저기가 광양만입니다. 이런 일은 좀처럼 없습니다. 그 옆의 오동도. 보이시죠? 아! 대단합니다."

대기는 투명했다. 사모가 물었다.

"그런데 산활은 어디서 어떻게 하는 겁니까?" 기타리스트는 머뭇거렸다. "그게 말입니다. 여기가 활공장(滑空場)입니다. 지리산하고 띄어쓰기를 하고 행글라이더 활공장이라고 했어야 했는데, 아버지 가방에 들어가시고 말았네요."

목사는 고집이 센 사람인 것 같았다. 잠시 당황하던 그는 작게 기침을 하더니 말했다. "그래 여기서 활공을 시작하면 죽을 듯 느낄 수도 있고 그러니 자기가 살아 있다는 체험을 하지 않겠습니까. 평소 낮은 지역에서는 느낄 수 없는 그런 삶에의 자각 말입니다."

기타리스트는 고개를 끄덕였다.

"자, 이 들판을 보십시오. 여기가 박경리 선생이 《토지》라는 소설의 무대로 설정한 악양 들판입니다. 왼쪽으로 들판을 지나 골짜기에 오르면 맨 끝에 파란 슬레이트 지붕 집이 보이실 겁니다. 그게 버들치라는 시인의 집입니다. 얼마 전 그는 강도가 돈을 내놓으라고 하자 돈이 2만 원밖에 없어 미안하다며 은행 카드도 주고 비밀번호도 가르쳐주었습니다. 아마 성경에 나오는 대로 속옷도 달라면 주었을지 모르겠습니다. 그리고 저기 섬진강이 휘돌아지는 강가에 낙장불입 시인이 삽니다. 지리산과 섬진강 지킴이인 그는 수경 스님께서 잠적하시자 매일 강가에 나가 기도합니다. 이 두 곳이 아마도 훗날 유적지가 될 곳입니다. 극비사항이니 잘 보아두십시오."

목사 부부는 무슨 소리인지 잠시 생각하더니 이제 마지막으로 기도를 하자고 했다. 기도가 끝나고 기타리스트는 자신의 배낭에서 꾸러미를 꺼내 목사 부부에게 건넸다.

"저 버들치와 낙시인의 시집 한 권씩, 그리고 여기 반짝이는 옷 가게에서 파는 칡즙을 두 병 넣었습니다. 제 첫 고객이 되어주신 데 대해 감사하는 마음으로 드리는 겁니다. 앞으로 제 꿈은 이곳을 전문으로 하는 여행사를 설립하는 것이고, 또 하나는 그분들을 위해 섬진강가에 음악 전문 라이브 카페를 만드는 것입니다. 장비는 제가 낙원상가에서 장사하다가 다 못 판 것을 아직 가지고 있으니 문제없고 메뉴도 정해졌습니다. 버들치 코스와 고알피엠 코스. 버들치 시인 코스란 정갈한 채식 밥상을 말하는 것이고, 고알피엠 코스란 아무렇게나 대충 찬밥을 담아 성의 없이 만든 코스랍니다. 그게 섬진강의 명물이 될 것입니다."

목사 부부는 감격 어린 표정을 지었다. 그 이유는 하룻밤 잠도 못 자고 다시 강원도로 떠나야 하는데 가난한 그들이 내미는 가이드비가 겨우 3만 원이었기 때문이다. 목사가 기타리스트의 손을 잡고 진지하게 말했다. "제가 드릴 물질은 없으나 방금 간절히 기도했습니다. 우리 가이드님이 저희와 다음에 만날 때는 티코가 아니라 사륜구동으로 가이드 하기를 말입니다. 실은 아까 티코가 헉헉거리면서 오를 때 이 낭떠러지에서 죽을 뻔한 느낌을 받으며 이게 산활이구나 했거든요. 이건 진정한 산활이었습니다."

❖ 지리산 빗점골의 폭포

그 사람이 없어도 괜찮아

꽁지 작가 낚시인의 빈집에서 막 낮잠을 즐기려는 찰라
미모의 미니스커트 여인이 들이닥치면서…

이 여름은 섬진강가도 덥다. 그러나 속 깊은 섬진강에서 불어오는 바람은 송송 맺히는 땀을 식혀주기에 충분하다. 나는 고알피엠과 낙장불입 시인이 나간 빈집에서 지화자·얼씨구 두 마리의 개와 집을 보며 정자에 누워 책을 읽고 있었다. 이럴 때는 뭐 꼭 글을 써야 하나, 꼭 연재를 해야 하나, 우리 애들이 꼭 공부를 잘해야 하나, 내가 꼭 살을 빼야 하나, 하는 생각이 든다. 나른하고 완벽한 만족감. 아마 천국이란 이런 것일 것만 같다.

내가 스름스름 막 잠에 빠져들고 있는데 들들들들 소리가 들렸고, 누군가가 문 안으로 들어서고 있었다. 여자는 몸매가 다 드러나는 민소매의 꽉 달라붙는 티셔츠에 짧은 반바지를 입고 하이힐을 신고 있었다. 게다가 목에 두른 얇은 스카프며 들들들들 이 시골마을의 정적을 깨는 바퀴 달린 여행 가방까지. 여자는 정자에 앉은 나를 힐끗 올려다보았는데 인터넷 사이트 오늘의 날씨에 어울리는 차림새에서 튀어나온 것만 같았다. 이런 차림으로 여기까지

✿ 화사한 원추리꽃 너머로 지리산이 보인다. 7~8월에 만개하는 원추리는 지리산의 여름을 대표하는 꽃이다.

오는 동안 지리산 자락에서 모든 사람의 눈총을 받았으리라. 하지만 신선하고 아름다웠다. 다만 자세히 보니 코와 입 사이에 작은 이슬 같은 땀이 송송 맺혀 있었는데, 저 스카프가 보기에 좋기는 하지만 목에 금방 땀띠라도 돋을 게 분명해 보였다. 나도 젊은 시절에는 여름에 부츠 신고 다니다가 무좀에 걸릴 뻔하기도 하고 겨울에 시폰 원피스 입고 얼어 죽을 뻔하지 않았던가.

"여기가 낙장불입 시인님 댁 아닙니까?"

내가 맞다고 하자 여자는 짧게 한숨을 쉬더니 "지금 안 계신가

보죠?"했다. 그러고는 "제가 저녁에 온다고 하고 좀 일찍 왔거든요. 여기 우선 가방 좀 맡겨놓고 가도 될까요?"했다. 뭐 넓은 시골집 마당에 그깟 가방 하나 맡긴다고 무슨 일이 있을까 싶어 나는 그러라고 했다. 그녀는 가방을 현관 앞에 놓았다. 나긋나긋한 이목구비에 여리고 섬세한 인상이었으나 뭔가 슬픔이 있는 듯 어두워 보였다.

순간 불길한 예감이 내 머리를 스치고 지나갔다. 요즘 들어 낙시인과 고여사의 다툼이 잦아지고 있는 것 때문이었다. 요지는 이 지리산 일대에 독신녀들이 늘어나면서 버들치 시인뿐만 아니라 낙시인의 인기도 점점 치솟고 있는 데 있었다. 대체 여자들은 왜 그렇게 시인을 좋아할까. 지리산 총각들은 바야흐로 시를 공부하려고 덤비고 있었다. 그때 대문 쪽으로 걸어가던 여자가 뒤를 돌아보며 내게 물었다. 말투로 보아, 많이 중요한 용건인데 차마 다 말할 수가 없어서 망설이다가 겨우 내뱉는 것 같았다.

"버들치 시인을 아시나요? 잘 계시겠죠?"

여자는 곧 울 것 같았다. 그제야 모든 사태가 짐작이 갔고 그녀가 누구인지 기억이 났다. 2001년도였던가. 지리산 댐과 케이블카 설치를 반대하기 위해 지리산 둘레길 850리를 17일간 순례한 적이 있다. 수경 스님께서 선방에서 나와 줄기찬 순례를 시작한 것도 바로 그 지리산 댐 때문이었다. 유서 깊은 절 실상사조차 물에 잠겨버리게 되니까 말이다. 나는 그 무렵 다른 친구들과 버들치 시인네 집에 있었다. 버들치 시인이 낙동강 살리기 순례에서 돌아온 직후였다. 낙시인이 우리들을 보며 말했다.

"버들치 형 이번 순례 때 장가갈 뻔했네."

자초지종은 그랬다. 순례 중에 낙동강 어느 마을에 이르렀는데 그 지역 유지가 크게 잔치를 벌여주었다. 집도 방도 내주었다. 순례단은 오랜만에 방에서 잘 수가 있었다. 버들치 시인과 낙시인은 임시 사무실을 겸해 작은 방을 둘이만 쓰고 있었는데 버들치 시인은 오랜만에 샤워를 하고 녹초가 된 채로 누워 깜빡 잠이 들었다. 한옥의 미닫이 방문이 스르르 열리는 소리가 나기에 그는 당연히 낙시인일 거라고 생각했다. 그런데 다음 순간 어떤 무게가 가슴을 압박하는 것이었다. 눈을 뜨니 문자 그대로 코앞에 낯선 여자의 얼굴이 보였다. 여자는 버시인 위에 올라 막 입을 맞추려 하고 있었다. 버시인이 막 비명을 지르려고 하니 여자가 손으로 버시인의 입을 막았다(상황이 좀 이상하다. 보통 남자가 있고 여자가 있어야 할 위치가 바뀐 듯한데……). 그러고는 조용히 말했다.

"저 아무개이옵니다. 아무 뜻도 없습니다. 그저 버시인님 가슴에 잠시 안겨보는 것이 순례 시작부터 소원이었습니다. 버시인님도 제가 싫지는 않으시죠?"

그러자 마음 약한 버시인은 덜덜 떨며 대답했다.

"그, 그럼요. 하지만 지금은 순례 중이에훗!"

그러자 여자가 대답했다.

"아 그렇군요." 그때 낚시인이 방으로 들어섰고 모든 사태가 드러나게 된 것이다.

"말도 안돼. 그동안 순례길에서 무슨 눈짓이나 몸짓이나 말이 오고 갔겠지. 그렇지 않으면 어떻게 여자가 난데없이 덮칠 수가 있어?"

내가 놀리자 버시인은 정색을 했다.

"아녀. 참말로 나는 그 여자한테 아무것도 한 것이 없어. 눈 한 번 마주치지 않았다니까." 그러자 낚시인이 대답했다.

"그건 형 말이 맞아. 그저 날이 추워훗! 머플러 두르세훗! 차도 한잔 드시고훗! 이랬을 뿐이지."

그때 전화가 걸려왔다. 버시인이 전화를 받았다. "뭐라고훗? 안 되훗! 오지 마셔훗! 지금 손님들이 있어훗! 내일 지리산 순례 준비도 해야 해훗! 지리산 순례 가느냐고훗! 네 가지훗!" 버시인은 전화를 끊더니 곰곰 생각에 잠기다가 입을 열었다.

"낚시인, 나 내일 지리산 순례 못 가겠네. 그 여자가 집으로 온다기에 못 오게 했더니 내일 실상사로 와서 지리산 순례에 참여할 태세네. 그럼 나는 17일 동안 밤마다 편히 잠을 못 잘 게 아닌가? 내게 무슨 일이라도 일어나면 그땐…… 대체 어찌 될 텐가?"

"뭐가 어찌돼? 마흔 넘은 노총각이 장가가고 좋지!"

우리가 입을 모아 말하며 웃었지만 버시인은 요지부동이었다. 언젠가 선배 한 명이 그를 구슬려서 평생 여자와 몇 번 잠자리를

✿ 수경 스님이 순례에 나서기 전 머물던 지리산 자락의 실상사 극락전

했느냐고 물었더니 그는 수줍게 "네 번 반"이라고 했단다. 네 번은
알겠는데 그 반이 무엇인지 그는 끝내 말이 없었다. 그 후로 한동
안 그의 별명은 '네 번 반'이었다. 그리하여 순례단의 핵심인 버들
치는 여자를 피하느라 고집스레 집에 머물러 있었다. 실상사 앞에
사람들이 모여드는데 택시가 한 대 와서 서더니 민소매 티셔츠에
짧은 핫팬츠 그리고 목에 스카프를 두르고 하이힐을 신은 여자가
거기서 내렸다. 여자는 들들들 소리가 나는 바퀴 달린 여행 가방
을 끌고 있었다. 등산 복장에 배낭을 진 사람들이 여자를 일제히
바라보았다. 낚시인이 내 옆구리를 찔렀고 나는 곧 그녀가 그녀임

을 알게 되었다. 여자는 차마 버시인이 어디 있느냐고 묻지는 않았지만 눈동자가 불안스레 이리저리 흔들리며 누군가를 찾고 있는 것 같았다. 눈치를 보아서 버시인이 오지 않았으면 그만 돌아가도 될 것을, 여자는 핵심 멤버인 버시인이 여기서 빠질 리 없다고 확신했는지 그날 밤을 묵고 하이힐을 신은 채 순례를 따라나섰다. 하이힐 신어 불편한 발이야 자기가 알아서 한다고 해도 들들들들 끌리는 가방 소리는 모든 사람의 귀에 거슬렸다. 게다가 비포장 산길이었다. 보다 못한 낙시인은 가방을 받아 선발대로 가는 차에 실었다. 고알피엠이 한마디 했다.

"그냥 놔둬, 여기서 돌아가는 게 나아."

하지만 여자도 고집스러웠다. 여자는 이틀 후 발병이 나서 앓아 눕고 말았다. 돌아가려고 하니 이미 산길로 접어들어 그녀가 실상사 앞으로 돌아가려면 누군가가 따라서 다시 이틀을 걸어야 했다. 이제는 앞으로 나갈 수도 뒤로 돌아갈 수도 없었다.

여자는 고개를 못 들고 미안해하며 말했다. 버들치 대신 낙시인이 안절부절못했고 고알피엠은 그녀가 미웠다.

"꽁지 은니, 저 여자 보내야 허지 않으까? 저 여자 때메 남자들이 불심이 안 생기는 거 같아. 나야 저렇게 날씬하고 예쁘고 젊은 여자를 봐도 불심이 솟아나지만 말이야."

여자는 풀이 죽었다. 그만 내려가는 게 어떠냐고 권하는 낙시인에게 눈물을 글썽이며 말했다.

"제가 걷지는 못하겠는데 요리는 좀 하니까 선발대와 함께 차에 태워주시면 밥도 하고 국도 끓이겠어요."

차마 매정하게 화를 내지는 못한 낚시인은 그러라고 하고 말았다. 그때 여자가 물었다. "저 버시인님은 어디……."

"아, 일이 있어 이번 순례에 못 와요." 그러자 여자는 낙담 어린 표정을 짓더니 이내 웃었다.

"그래도 괜찮아요. 어디 편찮으신 게 아니니 됐어요."

고알피엠이 눈치를 주었지만 낚시인은 그런 그녀가 딱해서 여러 가지로 편의를 봐주었다. 그런 마음을 이해하기에 여자들은 시인들을 사랑하는지.

저녁 무렵 여자는 구례 읍내에 나가 가오리 찜을 사가지고 다시 찾아왔다. 정자에 앉아 저무는 강가에서 불어오는 바람을 맞으며 우리는 맥주를 마셨다. 여자의 얇은 스카프가 바람에 살랑살랑 나부꼈다. 보기만 해도 더웠다. 여자는 다소곳이 말을 시작했다.

"공부하러 떠나요. 지난번 지리산 순례에서 우연히 천연 염색을 하는 걸 보게 되었고 이후 내내 그 염색이 하고 싶었어요. 서울서 졸업하고 남들 보기에 좋은 직장 다녔지만 이상하게 기쁨이 없었어요. 그래서 이게 내 일이 아닌데 싶었는데, 이제 제가 무엇을 하고 싶은지 그 순례길에서 찾은 거예요. 앞날은 불안하지만 저는 염색을 하는 동안에는 모든 것을…… 모든 것을, 잊을 수가 있었어요. 일주일 후에 인도로 갑니다. 염색 공부를 하러요."

그 모든 것 안에는 버들치가 들어 있을 것이다. 낚시인이 그녀를 불쌍한 눈으로 바라보며 뭐라 위로의 말을 건네려는데, 아까부터 낚시인의 그런 눈초리가 맘에 안 들던 고알피엠 여사가 버럭 소리를 질렀다.

"잘 생각했네. 그런데 스카프는 좀 빼고 가지. 인도도 더울 텐데…… 더워 으으 내 목에 땀띠가 다 돋으려고 그래!"

낚시인과 장모의 '살가운 여름'

:

새로 이사 온 집에 모시기 어려운 장모님 등장하고,
고알피엠 여사의 어리광이 시작되는데,
장모는 낚시인의 수염이 마음에 안 드는지 한마디…

지리산 사람들의 여름은 바쁘다. 서울에서 케이크 하나 보내지 않던 친구들이 여름휴가를 계획하다가 결국 택하는 곳이 만만한 지리산 친구들이기 때문일 것이다. 말로는 친구를 찾아본다고 하지만 숙박비를 절약하려는 이유가 더 크다. 이곳에 정착한 '자발적 가난 희망자'들이 집을 크게 지을 리 없으니, 안방과 마루 건넌방까지 이 식구 저 식구들의 차지가 되면 정작 주인은 마당에 텐트를 치거나 이웃집에 가서 잔다. 하지만 이웃집도 사정은 마찬가지여서 거기도 손님으로 가득 차 있다. 게다가 텃밭에 가꾸어 놓은 상추며 고추, 가지, 호박 등도 그들이 돌아가면 메뚜기떼 지나간 자리처럼 휑해진다. 삼겹살 몇 근 들고 온다고 하지만 김치, 된장, 숯불은 모두 지리산 사람들의 빠듯한 살림에서 나가야 한다. 그래도 지리산 사람들은 불평하지 않는다. 나 같은 서울내기들은 이 핑계 저 핑계 대가면서 귀찮은 손님들을 막겠지만 그들은 지리산의 넉넉한 정기 탓인지 남자 여자 끼어서도 자고, 갈 때 너그러이 푸

❖ 하동 화개동천에 여름이 찾아들면, 도시 사람들도 튜브와 수영복을 챙겨 하나둘씩 찾아든다. 지리산 사람들은 그래서 바빠지지만, 도시에서 온 벗들을 넉넉한 마음으로 품어낸다.

성귀를 한 아름 싸준다.

이번 여름 낙장불입 시인네 집에 장모님이 오시기로 했다. 구례 구역에 기차를 타고 오신 장모님은 낙시인네의 새로 이사한 집을 맘에 들어하셨다. 귀하게 키운 딸이 문수골 산골짜기 후미진 데서 살 때는 몰래 울고 가시더니 살수록 수더분한 사위가 미더운 모양이었다. 장모님이 오시는 날 고알피엠 여사의 어머님 오신다고 이웃들에게서 김치, 된장, 숯 추렴이 들어왔다. 정자에 앉아 시원한 맥주를 한 잔 따르고 삼겹살 구워, 저무는 섬진강을 보더니 장모님

256

은 감개가 무량하셨다. 이야기는 자연스레 고알피엠과 낙장시인의 결혼 전으로 돌아가게 되었다. 그때 인간과 세상에 지친(본인은 지쳤다고 하지만, 글쎄 주변 사람들의 말로는 그때도 알피엠이 높이 돌아갔다고 한다) 고알피엠은 캐나다 이민을 생각하고 있었다. 우연히 들른 지리산 자락에서 두 사람은 운명처럼(이것은 고알피엠의 말이고 낙시인은 초창기에 원래 지리산에 오면 자신이 모든 사람을 안내했다고 한다) 마주친다. 낙장시인은 알피엠의 차에 타고 지리산 이곳저곳을 소개했다.

"저기 저 차밭 보이시죠? 저 사람 5년 전에 이곳으로 와서 싼값에 차밭을 샀어요. 유기농으로 차를 재배해 동기가 하는 쇼핑몰에 내놓았죠. 지금은 이곳에서 제일 큰 부자예요. 저기 아래 강변의 큰 집이 그 사람 거예요."

"저기 저 대나무밭은 그냥 대나무밭이었는데 2년 전인가 귀농한 사람이 샀다가 죽순과 대공예로 크게 성공해서 이 일대의 땅을 다 샀어요……."

알피엠은 신기했다. 어떻게 이 촌구석에서 돈을 벌 수가 있을까 싶었던 것이다. 자신은 한국이 싫어 캐나다로 가서 아는 선배와 사업을 해보려고 했는데, 글쎄 이 지리산 정도라면 아는 사람도 없이 새 출발을 할 수 있을 것 같았다. 게다가 5년만 고생하면 저렇게 돈을 벌 수 있다니. 왠지 낙시인의 설득도 은근하고 끈질기게 느껴졌다.

"멀리 가서 고생할 게 뭐 있습니까? 여기서도 열심히만 하면 돈을 버는 건 시간 문제예요."

내숭의 여왕인 알피엠은 수줍은 듯 대꾸했다.

"글쎄요. 속으로 흉보실지 모르겠지만, 우리 엄마가 제 걱정이 되어서 생전 처음 점을 보셨는데 제가 돈 걱정 없이 살 거라고 하셨다네요."

실은 엄마가 아니라 자기가 미아리를 헤매며 점도 보고 오늘의 운세, 이달의 운세, 1년의 운세, 평생 사주, 당사주, 명리학, 기문둔갑, 동자귀신 내린 무당, 처녀귀신 내린 무당, 산신 내린 무당, 점성술, 타로카드 두루 보았던 것인데 그중 어떤 사람이 딱 한 명 그런 말을 했다. 고알피엠은 그 말만 남기고 다 잊어버리기로 했던 것이다. 고알피엠은 돈을 들여 캐나다 이민을 신청해놓고 고민에 빠졌다.

그런데 그 무렵 그녀가 운명이라고 주장하는 일이 일어났다. 지리산 순례를 하는 낙장시인을 찾아갔다가 수경 스님을 뵙게 된 것이다. 서울로 떠나는 날 수경 스님에게 인사를 하러 갔더니 수경 스님께서 잘 가라고 하면서 "그럼 앞으로 또 지리산에서 뵙시다" 하셨던 것이다. 수경 스님이 누구신가? 선승으로서 직관이 번개처럼 예리하고 공간과 시간의 경계가 허물어진 분 아니던가. 그분이 앞으로 지리산에서 또 뵙시다 했으니 이것은 예언이요, 소명이요, 운명 같았다(나중에 수경 스님은 이 인사를 전혀 기억하지 못하셨다. 자

258

초지종을 전해 들은 그는, 그러면 그 처자를 지리산에서나 보지 다른 데서 내가 볼 일이 뭐 있겠나 원, 하고 마셨다). 그리하여 고알피엠은 운명의 힘에 이끌려 두근거리는 마음으로 낙장시인에게 전화를 걸었다.

고알피엠 지리산에 방이 하나 있을까요? 다른 뜻은 절대로 없고 제가 글을 조금 쓰려고 그럽니다.

낙시인 방이야 널려 있지만 여자 혼자 위험하니 저희 집에 와 계시지요.

고알피엠 호호호호, 저야 그렇다면 너무 좋지만…… 호호, 그쪽이 기신데(계신데) 호호, 제가 어떻게 그 집에 가겠어요? 호호호.

낙시인 저는 늘 집에 없습니다. 그러지 않아도 집을 봐줄 사람을 구하려고 했는데 마침 잘되었네요.

고알피엠 그럼 그 말만 믿고 지금 내려갈게요. 정말 진짜루 집에는 기시지 않는 거지요? 호호, 절대 집에 기시면 안 돼요. 네? 꼭이오!!!

그 둘이 언제 부부의 연을 맺었는지는 사람마다 의견이 분분하고 우리가 확인할 바 아니다. 어쨌든 그들은 혼인신고를 하고 부부가 되었다.

오랜만에 찾아온 친정어머니 앞에서 고알피엠이 어리광을 피웠다.

고알피엠 엄마, 이 사람이 여기서 5년만 열심히 노력하면 여기 땅도 사고 집도 짓고 부자가 된다더니 다 거짓말이었어. 원래 거짓말이라고는 모르는 낚시인이 내가 얼마나 예뻤으면 그럴까 이해는 가지만 그래도 속은 거 같아.

장모 그래? 5년만 노력하면 된다고? 그런데 너는 노력을 안 했잖니?

고알피엠은 갑자기 기침이 났다.

고알피엠 엄마 근데 나보고 돈 걱정 없이 산다는 그 점쟁이 순 엉터리야 그치?

장모 흠, 그런데 엄마가 보기엔 너처럼 돈 걱정 없이 사는 사람도 없다. 돈이 있어야 걱정이 생기지. 네가 돈 걱정 할 게 무엇이 있겠니?

고알피엠은 다시 기침이 났다. 맥주가 거나해질 무렵 장모님은 기분 좋게 취해가셨다. 들어가 자야지 하던 그녀는 마지막으로 당부할 게 있다고 사위를 불렀다.

✤ 지리산의 햇빛과 바람을 머금은 차밭 풍경이 싱그럽다.

"낙서방, 자네는 볼수록 사람이 참 진실하고 좋네. 우리 알피엠이 천방지축, 저걸 누가 데리고 살까 했네만 그래도 자네니까 다 품고 사는 줄 아네. 고맙네. 내가 다 맘에 드는데 자네 그 턱수염 좀 깎으면 안 되겠나? 처음엔 그런가 보다 했는데 볼수록 지저분하고, 덥네. 우선 더워!"

그러자 낚시인이 묵묵히 생각에 잠겼다. 한 가지만 부탁한다는데 장모님 말씀을 거역할 수도 없고 그렇다고 순순히 이 아까운 수염을 깎을 수도 없었다. 김치찌개, 육개장, 설렁탕, 된장찌개 등 온갖 국물 있는 음식 먹을 때마다 조심조심 해가며 길러온 수염 아닌가? 게다가 라이더라면 이 정도의 운치는 있어야 한다고 그는 생각하고 있었다. 낚시인은 머리를 굴려 이 두 모녀에게 가장 약한 부분을 찌르고 들어가기로 했다.

"옳으신 말씀입니다. 어머님. 그런데 이런 말씀 드리기 외람되오나 지리산 깊은 곳에서 생식으로 솔잎만 먹고 토끼똥을 보시는 도사께서 이 수염을 길러야 평안하다고 예언을 하셨기에……."

그러자 장모는 고개를 끄덕였다. 역시 처가댁은 운명에 약하고 도인에 약한 것이 틀림없었다. 장모님은 일어나며 툭 말을 던졌다.

"그렇게 고매하신 도인께서 수염을 깎으면 안 된다고 하셨다니 하는 수 없네. 그러면…… 뽑게!"

그리하여 낚시인은 몇 년 동안 애지중지하던 수염을 없앴다. 깎았는지 뽑았는지 모르지만 어쨌든 이제 그는 말끔한 얼굴이다. 떠나는 날 장모는 고알피엠의 부엌을 정리하고 계셨다. 그리 안 하셔도 된다고 했지만 장모님 마음이 그런 게 아니지 않은가? 장모님은 냉동실에 얼린 고등어, 동해안에서 부쳐준 북어, 이웃집에서 가져다준 마늘을 따로 쇼핑백에 챙기고 있었다. "내가 이걸 서울 가져다가 고등어는 찌고 양념하고, 북어는 재고, 마늘은 찧어서 냉동해서 보내주려고 하네."

그럴 필요가 없다고 해도 장모는 기어이 그걸 서울로 가져갔으나 감감무소식이었다. 고알피엠이 전화를 걸어 고등어 양념한 것, 북어 잰 것, 마늘 찧은 것은 어떻게 되었느냐고 묻자 장모는 대답했다.

"아이고, 내가 그걸 보내려고 해도 네가 집에 없을 거 같아 못 보냈다. 택배로 보냈다가 상하기라도 하면 어쩌겠니? 네가 언제나 좀 집에 있을까 이제나저제나 기다리다가, 결국 택배를 못 부르고 내가 니 아빠랑 그냥 다 먹었다. 먹고 싶어서 그런 게 아니고 아까 워서."

'소풍' 가실래요

. . .

팥빙수가 맛있는 작은 카페 '소풍'은 이제는
국제적인 사랑방으로 통한다.
어느 날 존이 퐁독이 올라 쓰러지는 비상사태까지 발생하니…

수경 스님의 소식은 없고 이 더위에 어떻게 계시는지 모두들 마음이 좋지 않았다. 지난 몇 년 동안 큰 사건이 하도 많이 터져서 죄 없는 사람들이 죽고 다치고 쫓겨나고 갇히고 마치 풍랑 위를 떠도는 배를 탄 것처럼 대체 뭐가 뭔지 모르는 시간이 폭풍처럼 지나갔는데, 이제 사람들은 오늘 터지는 새로운 경악으로 어제의 충격을 잊어버리게 되어서 수경 스님 잘 계실까 물으면 아하 그런 일이 있었지? 하다가 이번 일에 대면 그건 일도 아니지, 할지도 모르겠다.

지리산에 갔던 나는 낙장불입 시인을 졸라 실상사에 가서 수경 스님 계시던 거처라도 보고 싶다고 했다. 희한하게도 해우소에 앉으면 천왕봉이 눈앞에 곧바로 올려다보이는

♣ 소풍

✤ 실상사 앞에 자리한 공방 겸 카페 '소풍'. 서울에서 미대를 나온 뒤 광고회사에 다니던 주인(우)은 10년 전 지리산에 왔다. 산사람이 다 된 그는 조각을 하고 싶으면 하고, 순례를 떠나고 싶으면 떠난다. 그는 자유인이다.

실상사. 수직으로 내리꽂히는 햇빛만 가시처럼 눈을 찌르며 튀어 오르는 사찰에는 아무도 없었다. 너무 더웠다. 그런데 실상사를 나 오다 보니 일본식으로 지은 아름다운 목조건물에 '소풍'이라는 카 페가 보였고, 커다란 글씨로 '팥빙수'라고 쓰여 있었다. "우리 저 거 먹고 가자." 내가 말하자 원래 먹을 것을 좋아하지 않는 낙시인 은 떨떠름한 표정이었고, 내가 가는 곳마다 눈을 부라리며 너무 먹 을 것을 밝힌다고 생각해서 피곤해하는 강남좌파는 "또 시작이군" 하는 얼굴이었다.

그렇다고 기가 죽을 일이 없는 나는 의기양양 그리로 들어가 주인에게 팥빙수를 시켰다. 그런데 알고 보니 그는 낚시인과 순례 동기였다. 수원에서 콩나물 국밥집 주방장을 하다 순례 온 처녀와 함께 길거리에서 30~40인분의 식사를 30분이면 너끈히 해내던 요리사. 얼마 전 그가 공방 한쪽에 카페를 낸 것이었다. 서울에서 미대를 졸업하고 유명한 광고회사에 다녔던 그는 이곳에 내려온 지 10년이 됐다고 했다. 그가 내온 팥빙수를 보자 우리 세 사람은 입이 벙글어졌다. 서울 강남의 일류 제과점 팥빙수보다 더 맛있었다. 손이 너무 많이 가고 번거로워서 그만둘까도 했지만, 사람들이 이곳에서는 큰돈인 5천 원을 현금으로 내고 좋아하며 먹는 모습을 보면 그런 생각이 사라진다는 것이었다.

팥빙수를 먹고 나자 졸음이 쏟아졌다. 미대를 나온 사람답게 아기자기하게 꾸민 공방과 카페. 그가 목공일을 하는 뒤뜰에는 개 여섯 마리—한 마리는 독신이고 한 마리는 새끼를 네 마리 낳았다.

❖ 카페 '소풍' 에서 파는 팥빙수.
팥은 물론 과일도 아끼지 않고
듬뿍 넣어 맛이 일품이다.

모두 유기견 출신이다—가 졸고 있고, 갈색 호랑무늬를 가진 고양이가 게으르게 접시꽃 밑에서 기지개를 켜고 있었다. 정말이지 소풍을 나와 나무그늘에 더 바랄 것 없이 앉아 있는 기분인데 소풍님이 믿을 수 없이 반가운 소리를 한다. "시원하게 맥주 한잔하시겠어요?"

우리는 '소풍'에 앉아 찬 맥주를 마셨다. 당연히 우리가 내야 할 돈인데 주인은 실상사 앞 슈퍼에 가더니 맥주를 그냥 들고 왔다. 월말 일괄 계산이라고 했다. '그런데 이렇게 마시면 돌아갈 때 운전은 누가 해?' 나는 궁금했지만 입을 꾹 다물었다. 그 말을 하는 순간 '그만 마시고 가자'고 할까 봐 겁이 났던 것이다. 저녁이 되어서 내가 낚시인에게 묻자 낚시인은 별 걱정을 다 한다는 듯이 "이곳은 잘 데가 천지!"라고 하는 것이었다. 소풍 주인이 입을 열었다.

"이곳에 온 지 10년, 무엇이 변했는지 한번 돌아봤죠……. 시간, 시간이었어요. 서울에서의 시간은 내 것이 아니었는데 이곳에서의 시간은 내 것이에요. 이게 제일 큰 변화더라고요……. 조각을 하고 싶으면 하고, 팥빙수를 팔고 싶으면 팔고 가게를 닫고 몇 개월씩 순례를 떠나고 싶으면 떠나죠. 지리산은 참 이상해요. 누가 와도 어울려요. 조선백자처럼요. 조선백자는 베르사유 콘솔에 올려놓아도 시골집 뒤주에 놔둬도 어울리잖아요. 중국의 자기도 일본의 도자들도 그렇지는 못하죠. 지리산은 백자처럼 누구라도 품

✤ 부딪친다. 그 사이 우정도 쌓인다.

는 그런 산인 거 같아요."

아닌게아니라 저녁이 되자 방도 별로 없는 소풍에 기이한 사람들이 모여들었다. 제일 먼저 들어선 사람은 독일인 다비드였다. 정말 다비드처럼 잘생긴 그는 여기서 한옥 짓는 목수를 따라다니고 있다고 했다. 이 동네의 대목 말에 따르면 대목이 "저기!" 하면 다비드는 자신이 해야 할 일을 알아 척척 해내고 "저기!"라고 말하면 그때그때 필요한 연장도 제대로 가져다준다고 했다. 대목은 한국사람인 그의 조수는 한국말로 "거기 아까 쓰던 뾰죽한 거 가져오라고 해도 다른 연장을 가져오기 일쑤인데 신기하다"고 했다.

그다음 나타난 사람은 스페인의 프란치스코였다. 불교 그림을 연구하고 싶어 아시아를 여행하고 있는 그는 아침에 일어나면 저녁에 눈을 붙일 때까지 그림을 그렸다. 소풍 주인은 그가 하도 열심히 그림을 그리는 바람에 혼자 놀고 있기가 민망해서 하는 수 없이 뭐라도 하는 척 조각을 하다 보니 반야심경을 하나 다 팠다고 했다. 그는 한국말도 조금 할 줄 알았는데 우리가 수박을 권하자 달게 먹으며 말했다. "스페인 수박 1천 원, 한국 수박 1만 원." 우리가 고개를 끄덕이자 그는 다시 말했다. "광주 잠 하루 5만 원, 지리산 잠 한 달 5만 원. 지리산 싸다, 지리산 좋다."

어머니 같은 골짜기들을 치맛자락처럼 펼치며 지리산이 수많은 사람들을 넉넉히 감싼다는 것을 알았지만 외국인들까지 이리 품고 있을 줄이야. 카페 소풍에서 기숙을 하다가 그의 말대로 이곳에서 한 달에 5만 원짜리 방을 얻어 살림을 난 프란치스코는 소풍 주인에게 라면을 한 개 얻어 자신의 집으로 돌아갔다.

그리고 밤이 되자 문제의 인물이 나타났다. 안 그래도 소풍 주인이 그가 돌아올 거라며 우리에게 그를 소개하는 말을 했었다. 스스로의 주장에 따르면 콜롬비아의 래퍼 출신인 그는 제3국 노동자들이 그렇듯 어찌어찌 한국으로 와서 불법체류자가 되어 살고 있었다. 소풍 주인이 갈 곳 없는 그를 재워주고 먹여주면서 가만히 보니 그는 몰래 대마초를 피우고 있는 것 같았다.

모르는 척하고 말았는데 어느 날 그가 고래고래 비명을 질러댔다. 놀라 뛰어가 보니 얼굴에 붉은 반점이 돋고 괴로워하며 뒹굴고 있었다. 식중독인가 싶었으나 서로 말도 통하지 않았다. 불법체류자이니 119 구조대를 부를 수도 없어 동네 대목을 불렀다. 대목의 트럭에 그를 태우고 무조건 남원의 병원으로 달렸다. 가는 동안 짧은 영어로 대답하는 그의 말에 따르면 원인은 소똥이었다. 소똥? 그가 되물으니 대마초가 떨어진 그는 금단현상으로 고민 고민했지만 지리산에서 대마를 구할 수가 없었다. 궁리를 해보니 고향에서는 대마초가 떨어지면 할아버지들이 소똥을 잘 말려 피우던 생각이 났다. 그는 돌아다니며 소똥을 조금씩 모아왔고 그걸 피우다가 이리 된 것이었다. 한마디로 똥독이 오른 거였다. 소풍 주인은 어이가 없었다.

"야 인마, 너희 고향에서 소들은 산에 가서 대마도 먹고 양귀비싹도 먹지만 여기 소들은 사료만 먹는단 말이야 이구구구." 병원에 도착하자 의사가 자초지종을 물었다.

"또…… 옹……."

"네?"

의사가 짜증스레 되물었다.

"똥……독인 것 같습니다. 그걸 피웠대요. 그러니까 먹은 겁니다."

의사가 더 이상 호기심을 보이지 않아 다행이었다. 소풍 주인은 의료보험도 안 되는 그를 치료하기 위해 적금을 깼다. 작년에는 새끼를 낳고 살이 오른 유기견의 피부병을 치료하기 위해 동물병원을 1년여 넘게 다니며 비상금을 다 써버렸는데, 그의 말대로 "어찌 의료보험 안 되는 중생들만 나한테 와서 아픈지 모르겠다"였다.

드디어 그 문제의 콜롬비아인이 나타났다. 커다란 시베리안 허스키를 한 마리 데리고 있었다. 배우처럼 잘생긴 그는 어쨌든 음악업계에 종사한 사람답게 나름 분위기도 있었다. 그가 맥주를 마시러 내 가까이 와서 앉았을 때 코를 찌르던 체취와 떡진 머리카락, 그리고 더러운 옷만 아니었다면 낮부터 맥주로 얼큰해진 내 눈이 반짝반짝 빛났을지도 모르겠다. 개가 주인보다 좀 깨끗한 지경이었다.

낚시인이 "쫀"의 어깨를 두드리며 말했다. "자네 지난번 집에 와서 자고 간 다음날, 우리 집 이불장에서 벌레들이 한 줌 나오더라고. 고알피엠 여사가 이불 빨래 하느라 고생 좀 했지, 허허."

아무리 콜롬비아가 커피가 맛있고 내가 좋아하는 작가 가브리엘 마르케스가 살던 곳이고 무지막지한 살인독재를 겪어 가여운 나라라고 해도, 그의 바지춤에서 벌레가 기어나올 것만 같아 나는 콜롬비아가 싫어졌고 온몸이 스멀스멀 근지러웠다. 그는 우리가 내미는 맥주를 마시다가 그가 아는 몇 안 되는 한국 말로 "소주 주세요" 했다. 소풍 주인이 소주를 가지러 부엌에 가다가 소리를 질렀다.

"쫀, 여기 네 개가 부엌 바닥에다 똥 싸놓았다. 네가 치워!"

쫀은 긴 팔다리를 천천히 움직이며 일어섰다. 잠시 후 이상한 소리가 들렸다. 무슨 일인가 가보니 주인이 정성들여 황토를 앉히고 잘 다져놓은 부엌바닥을 쫀이 삽으로 푹푹 파며 똥을 치우고 있었다. 소풍 주인은 다가가 그의 어깨를 툭툭 치며 소주병을 건넸다.

"그래 파라 파. 나중에 하늘나라 가면 소풍에 가서 소풍 잘하고 왔다고 해라. 이구 이 웬수야! 지리산이 아니면 너와 내가 이렇게 만났겠니?"

©지리산 사진작가 강병규

❖ 가을비 내리는 지리산

소망이 두려움보다 커지는 그날

:

가끔 지리산을 사진에 담던 괜찮은 직장의 프로그래머 강 씨는
불현듯 지리산 땅 1만5천 평과 포클레인을 장만하는데…

마흔이 되던 해 어느 날 아침 대기업의 컴퓨터 프로그래머 강병규는 출근길의 밀리는 차 안에 앉아 있었다. 이 여름이 가고 가을이 오고 곧 마흔이었다. 비교적 평탄한 인생이었다고 그는 스스로 자부해왔다. 친구들은 이 회사 저 회사로 이직을 하고 혹은 벌써 퇴직을 당하기도 했지만 그는 대학 졸업 후 줄곧 모두가 부러워하는 이 회사에 근무하고 있었고 평가도 좋은 편이었다. 회사는 그의 성실성과 능력을 높이 사고 있었다. 이제 마흔이니 뭐 기어이 승진에 대한 욕심을 부리지 않으면 앞으로 15년 정도는 무난히 근무할 수 있었다. 그 사이에 별일이 없으면 아파트를 열 평 정도, 차를 1천5백 cc 정도 늘릴 수 있을 것이었다. 15년. 그러면 그는 당연히 쉰다섯 살이 될 것이었다. 쉰다섯 살. 문득 자동차 핸들을 잡고 있던 그의 손에 힘이 쭉 빠져나갔고 시야가 뿌옇게 변했다. 그는 새삼 생각했다.

"내 인생 이것이 전부였단 말일까? 마지막 젊음이 가는 15년을

✤ 그가 손수 지은 황토집에서 꽁지 작가에게 차를 내는 지리산 사진작가 강병규

바친 후 내게 남겨질 거라고 확신하는 것이 고작 열 평 넓은 아파트와 1천5백 cc가 더 큰 자동차란 말일까?"

그날 그는 하루 종일 업무를 처리할 수 없었다. 황당하게도 인생이, 청춘이 억울하고 덧없이 흘러갔다는 생각이 들었다. 사춘기 때도 하지 않았던 그런 생각들 '과연 산다는 것은 무엇일까?' '나는 누구일까?' '내가 진정 바라는 것은 무엇일까?' 등이 그의 머릿속을 어지럽혔다.

집으로 돌아간 그는 방 안의 책상 서랍을 열었다. 지리산이 거기 있었다. 휴가 때마다 휴일마다 남들 다 가는 놀이도 마다하고 그는 지리산을 찍었다. 아마추어 사진가로서 여러 번 상도 받았다. 안정된 직장인으로서는 아주 좋은 취미를 가지고 있었던 그였다. 그런데 그 사진 속의 지리산이 그를 부르는 것 같았다. 진정한 삶은 언제나 여기 아닌 저 너머에 있었다는 랭보의 말을 읽던 해부터 그는 그런 분열과 체념 혹은 포기 등과 사이좋게 지내왔었다. 그런데 새삼 이제 그것은 분열이었고 지금 이 삶이 어쩌면 껍데기였다는 생각이 들었다. 마흔이 되던 해 그는 그렇게 늦은 사춘기라면 사춘기 혹은 성장통을 시작했다.

그는 회사에 사표를 내고 기차를 탔다. "꿈을 이루고 싶은 열망이 이 모든 새로운 시작에 대한 두려움을 넘어서는 순간"이었다고 그는 회고했다. 내 손으로 내 영토를 일구고 내가 좋아하는 일을 하며 살고 싶었다. 15년 후보다 열 평 작은 아파트를 팔고 15년 후보다 1천5백 cc 작은 차를 팔았다. 가족들과 친구들 모두 어안이 벙벙하다고 했다. 그는 이를 꾹 물고 지리산으로 갔다. 그동안 지리산을 다니며 보아두었던 해발 460미터의 땅 1만5천 평을 샀다. 가파른 비탈에 고도가 높아 땅값은 그리 비싸지 않았다. 그는 스스로의 힘으로 삶을 개척하고 싶었다. 그래서 제일 먼저 보성 화순으로 가서 흙집학교에 등록했다. 그곳에서 먹고 자며 황토로 집을 짓는 법을 배웠다. 빡빡한 스케줄과 공부를 소화하고 났을 때 그는 이제 새로운 삶을 시작할 만반의 준비가 되어 있었다.

그런데 역경은 뜻밖에도 그가 그토록 안기고 싶었던 그 지리산

✤ 그는 어느 날 멀쩡히 다니던 회사에 사표를 내고 지리산으로 향했다. 흙집학교에서 익힌 솜씨에다 이웃의 손길이 보태져 황토 갤러리가 탄생했다.

에 사는 사람들로부터 왔다. 그것도 귀농자들에게 말이다. 터를 닦으려는데 경고장이 날아왔다. 이웃에서 고소가 접수되어 공사를 할 수가 없다는 것이다. 이유는 경관을 해친다는 것이었다. 지리산에 호젓하게 살고 싶어 왔다는 사람들은 그들이 이미 지어 놓은 집 근처에 다른 이웃이 들어오는 것을 용납할 수 없다고 했다. 설마 뒷산이었던 해발 460미터에 어떤 미친 인간이 집을 지을 거라고는 생각하지 않았던 까닭이었다. 그 사람들 집의 조망권을 가리는 것도 아니었고 소음이나 먼지를 일으키는 것도 아니었지만 알다시피

한 번 고소나 소송이 걸리면 모든 것은 지체된다. 공무원들이 그의 꿈을 위해 발 벗고 나서주는 것도 아니었다. 그 땅을 팔고 다른 곳에 땅을 사려고 해도 이미 아무것에도 쓸모없어진 땅은 소문이 날 대로 나 사겠다는 사람도 없었다. 그런 경우 도시에서 오는 어수룩한 귀농자를 속여 땅을 팔라는 권고도 들어왔다. 그러나 그럴 수는 없었다. 인간답게 살기 위해 내려온 지리산이니까 말이다. 언제나 그렇듯 정직이 밥 먹여 주지 않았고 까탈스러운 이웃들은 집요했다. 공무원들은 귀찮아했고 소송이 하나 끝나면 다른 곳에서 가처분이 들어왔다. 지리산? 좋지…… 하며 반신반의의 눈으로 바라보던 친구들이 여름휴가 때 놀러 온다는 전화를 할 때면 머리가 돌 것 같았다. 그렇게 1년 반의 시간이 지나갔다. 지리산 어귀에 작은 방을 얻어놓고 술을 먹고 울고 술을 먹고 울었다. 인간답게 살고 싶다는 이 작은 소망이 모두 산산조각나는 듯한 절망감만 가득한 나날이었다. 나아갈 곳도 돌아갈 곳도 없었다. 여기는 그의 전부였다.

그렇게 술을 마시는 동안 지리산에서 그는 점차 사람들을 알게 되었다. 그와 같은 생각으로 도시를 떠나 지리산에 와서 살게 된 귀농자들이었다. 그들은 그의 눈물을 닦아주었고 그의 이야기에 귀를 기울여주었고 해장국을 끓여주었다. 관청과 고소인들을 오가는 동안 그는 그보다 더 많은 따뜻한 이웃과 지리산 사람들을 알게 되었던 것이다. 그리고 그들은 그의 꿈을 이루어주기 위해 그를 도왔다. 그 역시 술을 먹는 틈틈이 집을 설계하고 전체 조경을 그렸다. 먼저 터를 닦는 데 필요한 포클레인을 알아보니 기사와 함께 하루 일당이 엄청났다. 그는 지리산 사람들과 의논 끝에 3백만 원짜리 고물 포클레인을 샀다. 드디어 집을 지어도 좋다는 당연한 허가가 너무도 오랜 시간이 지난 후 떨어지던 날, 그는 그 포클레인을 타고 집터로 올라갔다. 새벽부터 일하고 밤늦게까지 횃불을 밝히고 일했다.

"한마디로 그땐 밤이 참 짧았어요."

그는 웃었다. 일은 쉽지만은 않았다. 온몸은 땀투성이였고 손발 여기저기 상처가 새겨졌다. 끝이 좋게 끝난 모든 일이 그렇지만 1년 반 동안 그의 손발을 묶어놓은 이웃은 실은 그의 열망과 소망과 꿈을 다지고 강하게, 그러니까 어떤 역경이 와도 괜찮을 만큼 간절하게 만들었는지도 모르겠다. 육신의 고통과 땀방울쯤은 이미 그에게 아무 일도 아니었으니까 말이다.

그의 사진을 전시하는 갤러리를 짓고 그 아래 살림집도 지었다. 1년 반의 허송세월 아닌 허송세월 동안 그는 지리산의 집 짓는 품앗이를 하는 사람들을 알게 되었고 그들이 오자 집은 뚝딱뚝딱 바로 완성되었다. 함께 집을 지어본 사람들…… 그들은 진정한 삶의 동반자들이었다. 누가 알아주지 않아도, 유명 사진작가 반열에 이름이 오르지 않아도 그는 행복했다. 이제 사진을 찍고 차를 끓이고 숯불을 피워 동반자들과 삼겹살이라도 구우면 행복했다. 그러던 즈음 그는 뜻밖의 소식을 들었다. 지리산 둘레길이 그의 집 바로 뒤를 지나가게 된다는 것이었다. 지리산 높은 곳 누가 찾아오지 않아도 자신의 사진을 전시할 공간을 갖고 싶다고 생각하던 그에게는 이제 저절로 관객들이 몰려오는 행운을 누리게 될 것이었다. 하늘의 선물 같았다. 서둘러 화개차를 준비하고 찻잔을 더 비치했다. 둘레길을 걷던 사람 누구라도 잠시 들어와 쉬면서 자신의 사진을 보고 가도록 안내판도 달았다. 차는 무료이고 사진을 꼭 사가지 않아도 된다. 그의 갤러리에 가보면 차를 마시고 사진을 구경한 사람들이 그에게 남긴 메모들이 천장 가득히 붙어 있다. 그는 느긋이 앉아 오늘도 집터를 돌본다.

어느 날 실상사 앞의 소풍에 팥빙수를 먹으러 갔던 그는 지리산에서 볼 수 없는 멋진 바이크가 놓여 있는 것을 보았다. 소풍 안에 들어가니 낚시인이 검정 가죽 옷을 입고 커피를 마시고 있었다. 터프하고 멋있어 보였다. 그는 낚시인에게 맥주를 사고 바이크에 관한 정보를 얻었다. 그리고 앞으로 바이크에 대해서는 그를 스승으로 모시겠다고 선언했다. 이제 지리산 자락에서는 멋진 바이크를 타는 사람이 둘로 늘었다. 낚시인과 강병규 사진작가.

그는 올해 그의 갤러리와 집 주변에 구절초를 대량으로 심었다. 넉넉한 마당에 서부영화에 나오는 것과 같은 바비큐 시설도 차리고 나무를 깎아 벤치와 테이블도 차렸다. 9월이 오고 구절초들이 지리산의 맑은 기운에 보랏빛 구름처럼 피어나는 날, 그는 그 마당에서 잔치를 하기로 했다. 낙시인, 버시인, 고알피엠, 강남좌파, 꽁지 작가, 최도사, 소풍 주인, 도법 스님, 수경 스님, 연관 스님 다 모시기로 했다.

"스님들은 어떻게 맥주는 식물성이니 드신다 해도 안주는 따로 식물성으로 준비하나?"

꽁지 작가가 묻자 사람들이 어이가 없어 웃었다. 낙시인이 거든다.

"고기는 채 썰어 드려, 채식으로 드시게……."

모두가 깔깔거리며 웃는 동안 강병규 작가는 휴대폰을 받은 후 좋은 소식을 전하겠다고 했다.

"3백만 원 주고 사서 5년 동안 내 수족 같았던 포클레인 오늘 드디어 170만 원에 팔았어요! 자 그날 고기는 내가 삽니다."

✤ 일출봉의 아침

지리산 노총각들의 '비가'

. . .

순정은 있으나 여자가 없던가?
지리산 자락의 목수 총각 사랑은 어디쯤…

요즘 남도에 가면 심심치 않게 베트남이나 몽골 혹은 필리핀의 새댁들이 눈에 띈다. 그 사이에서 태어난 아이들도 이제 꽤 자라나고 있어서 새로운 문화가 탄생될 것이 예상되기도 한다. 아마도 우리나라가 다민족 사회라는 것을 가장 실감할 수 없는 곳이 서울 한복판이지 싶다. 하지만 가끔 내게 드는 의문, 이렇게 많은 농촌의 총각들이 결혼을 못할 정도로 성비가 불균형하다는 말일까 싶은 것이다. 일전에 신영복 선생이 책에 쓰신 대로 가진 자들이 여러 여자를 소유하고 가난한 사람들은 한 여자도 곁에 두지 못하는 비극이 느껴지곤 한다. 그리고 거기서 태어난 가난한 여자아이들은 다시 유흥가로 흘러들어가고…….

지리산 자락의 모텔에 한번 들어가면 온갖 다방의 성냥들이 즐비하다. 10년 전까지만 해도 '길 다방' '고향 다방' '88 다방' '모정 다방'이라는 명칭이 고색창연하더니, 요즘에는 대놓고 '꽃 다방' '오빠 다방' '팡팡 다방' '자기 다방'을 거쳐 '센스 다방' '날 불러줘요 다방'도 있다. 이 다방들은 주로 배달 서비스를 주업으로 한다.

가게 바로 앞에 커피 자판기가 있어서 몇 백 원이면 커피를 마실 수 있는데도 사장님들은 손님이 오면 다방 커피를 시킨다. 사모님이 이런 사실을 알았는지 예쁜 바구니에 녹차, 현미차, 율무차, 옥수수수염차 다 넣어서 전기 포트와 컵을 가져다 놓았는데도 사장님들은 오늘도 성냥갑을 들어 전화번호를 확인하고—너무 오래되어서 번호를 다 외우겠지만 그렇게 되면 품위를 의심받을 수도 있고 또 특별대우라는 생색도 낼 수 없으므로 꼭 이렇게 전화번호를 오래 들여다보는 것이다—전화를 걸어 커피를 주문했다. 낚시인이 다니는 오토바이 정비소 주인도 마찬가지다. 아니라고 아무리 손을 저어도 "그라믄 나가 섭섭하제이" 하기에 지금은 모두가 그냥 내버려두는 편이다. 어쩌면 그는 이 기회에 부인에게조차 합법적으로 젊은 처자와 차를 한잔 마실 심산일지도 모른다. 실상 그런 일이 아니면 시골바닥에서 젊은 처자 얼굴을 볼 일이 평생 없기 때문이다. "거기 커피 두 잔 가져와봐라. 이왕이면 이쁜 아그가 가져다주면 좋제. 거 그때 왔던 아그가 이쁘던디 이름이 머간디⋯⋯ 아 먼 양 있자녀? 어? 아, 안다고? 지금 마침 있어? 거 잘되았네 그려 커피 두 잔, 이?"

오토바이 정비소 주인이 전화를 끊자 잠시 후 젊은 총각이 운전하는 빨간색 모닝이 다가와 서고 거기서 아가씨가 내렸다.

"예전에야 아가씨들이 걸어서도 가고 오토바이 뒷자리도 타고 다니지만 21세기 G20 정상회의가 열리는 선진국 대한민국 아가씨들은 요즘은 카!—그는 차를 이렇게 발음했다—로 배달을 하제" 한다. 그런데 차에서 내리는 아가씨는 조금 노숙한(?) 축에 속해 보였다. 정비소 주인이 인상을 찌푸렸다.

"나가 말한 사람이 그쪽이 아닌디?"

그러자 아가씨는 당연하다는 듯 보온병을 열며 대꾸했다.

"누구 찾으시는지 모르지만 제가 먼 양이에요." 김 양, 이 양, 박 양, 정 양, 공 양은 들어보았지만 우리 세 사람에게 먼 양이라는 성은 처음이었다.

"참말로 성이 먼씨여?"

오토바이 정비소 주인이 다시 묻자 먼 양은 이런 자신의 처지가 화가 난다는 듯이 입술을 앙다물더니 "어쨌든 먼 양을 찾으셨다면서요? 왜 아니에요? 그리고 제가 그 먼 양이에요" 하는 것이었다. 먼 양의 서슬 퍼런 대꾸에 주인은 커피를 마시는 내내 말이 없다가 그녀가 돌아가자 무릎을 탁 쳤다.

"참말로 나는 × 위에 거시기 하는 × 있더라고 머리가 어찌 저리 명석허게 돌아가까이. 천재여 천재! 먼 양이라고 아예 이름을 붙여부렸구마. 안 그러면 지가 나이가 많아 아무도 안 찾은께. 우리걸이 기억력 없는 사람들 맨날 먼 양이냐 거시기냐 갸가 하니께 …… 그걸 이용해부렸다…… 하하. 대단하다 대단해. 우리는 선진

국에 들어갈 머리들을 타고났어야……."

처녀(?)들이 그렇게 '자기 다방' '오빠 다방' '센스 다방' '미희 단란주점' 등에서 화장을 고치고 있는 동안 지리산 장터에는 며칠 만에 노총각 하나가 나타났다. 낚시인의 오토바이를 보자 그가 손을 흔들었다.

"형, 나 전주서 노가다하고 돈 쪼께 벌어왔소. 지금 가서 사우나 좀 허고 오늘 연애 좀 해보려고……."

그는 싱글벙글이었다. 그가 지나가고 나서 "누구야?" 하고 내가 묻자 낚시인은 태연하게 "응, 산에서 사는 애야" 하는 것이었다. "아니 뭐 하는 사람이냐고?" 내가 다시 묻자 낚시인은 곤란하다는 듯이 곰곰 생각하더니 대답했다. "응, 술을 많이 먹고 결혼은 안한 것 같고 그리고 스님은 아니야" 했다. 그는 그 사람이 지리산에서 뭘 하는지 그게 무슨 중요한 일이냐고 하면서 자기가 알고 있는 너무도 착실한 총각을 장가보내기 위해 내 힘이 필요하다면서 나를 카페 '소풍'으로 끌고 갔다. 가는 동안 이야기를 들으니 집도 있고 논도 있고 밭도 있고 게다가 한옥을 짓는 기술까지 겸비해 일당이 엄청 높은 청년이 여자들한테 이용만 당하고, 퇴짜맞고, 양다리 걸치는 데 당하고, 그러고도 장가를 가면 좋은데 아직도 못 가고 있어서 가여워서 못 보겠다는 것이다. 이 기회에 내 글의 주인공으로 소개를 해서 착실하고 기술 있는 젊은 총각을 장가보내 달라는 이야기였다.

❖ 총각 목수 박문수 씨가 지은 섬진강변 박두규 시인의 집

❖ 이래저래 결혼이 늦어진다는 박문수 씨가 한옥을 지을 재목들을 다듬고 있다.

　얼마나 못생기고 성격 더러우면 그럴까 싶은데 마침 나를 기다리는 청년은 자그마한 키에 적당한 체격, 귀엽게 생긴 외모를 가진 아마 서울에 있었다면 그냥 평범하지만 성실한 회사원으로 소개받으면 딱 좋을 그런 청년이었다. 내가 무슨 힘이 될까 싶어 밍밍하게 앉아 있다가 직업적인 질문을 던져보았다. "한옥 지으려면 평당 얼마 들어요?" 그러자 이 동네에서 솜씨 좋은 목수로 소문이 자자한 그의 얼굴이 마치 들어서는 안 될 질문이라도 들은 것처럼 귀까지 빨개졌다. 내가 의아해하자 낚시인이 대답했다. "에구 그런

걸 물으면 안 돼. 저 목수는 다 잘하는데 두 가지는 못해. 하나는 계산이고 하나는 지붕에 올라가는 거야." 그러자 그가 웃으며 고개를 끄덕였다. "고소공포증이 있어요. 그래서 지붕은 제가 절대 못 올려요." 곁에 있던 사람들이 와와 웃었다. 나는 왈칵 그에게 연민이 생겼다. "저는 추리소설을 쓰겠다고 10년 전부터 공언해왔는데 시신 생각만 하면 무서워서 못 쓰고 있답니다. 비슷하네요."

우리는 그렇게 친해졌다. 어쨌든 눈앞에는 술이 있고 솜씨 좋은 소풍 주인이 가격 생각 않고 비싼 재료로 만들어내는 맛있는 안주가 있었다. 술이 좀 들어가자 수줍던 목수는 다시 말했다.

"여자들은 참 이상해요. 저보고 가진 게 뭐냐고 물어요. 이 몸뚱이밖에 없다 그러면 화를 내면서 다음부터 전화를 안 받는 거예요. 실은 부모님이 지으신 집도 있고 논도 좀 있고 밭도 있는데 없다고 하고 시집와서 있는 걸 알면 더 좋은 게 아닐까요?" 목수는 꿈을 꾸는 듯했다. 나로서도 그 방면은 시신보다도 더 무서워하는 바라서 더욱 모르니 할 말이 없었다. 목수는 이제는 맥주를 치우고 소주를 마시며 한숨을 쉬었다.

"여기 동네에 부자가 있어요. 저보다 열 살 위인 총각인데 장가갈 생각을 안 해요. 돈만 주면 매달 새로 오는 20대 초반 여자애들하고 연애하는데 뭐하러 한 여자랑 결혼을 하느냐는 거예요. 돈 좀 있는 그런 부류 총각들도 꽤 있어요. 여기 말이에요. 그리고 우리 같은 총각들이랑…… 그래도 결혼을 하려면 정이 좀 있어야 하는데 전 사진 보고 외국 가서 찍어다 결혼하는, 그것도 돈이 꽤 든대요. 그런 건 싫고 부모님들이 저 장가가기 바라시다가 병들고 늙으시는데 그땐 정말 내가 꼭 이곳에서 살아야 하나 싶어요."

우리가 한숨을 쉬고 있는데 누군가 벌컥 카페 소풍의 문을 밀고 들어섰다. 아까 낮에 만났던 그 총각이었다. 그는 벌건 얼굴로 소주를 찾더니 '그라스'에 따라 벌컥벌컥 마셨다. 그리곤 울먹이는 목소리로 입을 열었다.

"형, 이럴 수가 있어? 내가 노가다해서 모은 돈으로 사랑 한번 해보려고 갔는데 이 기집애가 저녁 먹고 맥주 마시고 노래방 가자는 거야. 그래도 연앤데 싫어서 하자는 대로 다 하다 보니까, 그만 노래방에서 그 기집애가 최신곡을 다 부르는 바람에 티켓 끊은 시간이 다 되어버렸어. 더는 돈도 없고 그래서 내가 이왕 이렇게 된 거 날도 좋은데 어디 대숲에서라도 한번 주라니까, 그 전까지 맥주 마시고 노래 부르고 애교 떨던 기집애가 눈을 부라리면서 억센 경상도 사투리로 그러는 거 있지…… 모기 물려서 엉뎅이 밤탱이 되라고 이기 미쳤나? 그러면서 가버렸어. 내가 한번 하려고 점심도 안 사먹고 꼬박 모은 돈인데, 엉엉."

곁에 있던 목수가 이런 일이 한두 번이 아니라는 듯 뭐라 말을 하려다 말고 술을 마셔버렸다. 여름은 가는데 그렇게 대숲에서 바람이 불어왔다. 소풍 주인이 맛있는 청국장을 내어주며 그를 툭 쳤다. "괜찮다. 그래도 오늘은 뽀뽀는 한 번 했나 보네, 뭘."

불교 3총사 '수경 스님의 빈자리'

...

사찰의 선방에서 들리는 고알피엠의 수다 소리 정적을 깨고,
스님은 빙그레 웃으며 눈을 감으시는데…

고알피엠 여사는 요즘 우울했다. 여러 가지 이유가 있겠지만 아마도 고알피엠을 닮아 천방지축이라고 사람들이 수군거려서 그녀가 미워하던 개 지화자가 새끼를 낳은 것도 그 원인 중에 하나였을 것이다. 며칠 밤마다 이상한 소리가 난다 했더니 이 녀석이 덜컥 새끼를 배버리고 다섯 마리나 되는 새끼를 낳았다. 올해따라 비는 자주 내리고 열대야는 계속되는데 천방지축 지화자는 중년의 여인처럼 헉헉거리며 지쳐가고 있었다. 새끼들의 아버지로 의심되는 것은 아랫집의 진돗개 잡종인데 어떻게 확인해볼 도리가 없었다. 냉동실에 석 달이나 아껴두었던 소고기를 꺼내서 미역국을 끓여주고 사람이 쓰는 선풍기를 가져다 틀어놓아 주었지만 저 두꺼운 털외투를 입고서야 그게 무슨 소용이랴 싶었다. 그러기에 남편 낚시인의 말을 듣지 말고 이름을 조신으로 바꾸어야 했다. 지화자라니……. 그리고 똑같은 밤을 치른 대가로 겪어야 하는 세상 모든 암컷들의 비애가 왠지 이 여름을 더 힘들게 했는지도 모른다.

❖ 곰처럼 일어섰던 지화자가 지쳐가고 있었다.

그때 뒷집에 새로 이사 온 귀농한 젊은 새댁이 말을 걸어왔다. 여리고 곱고 태평스럽고 느린 말투로 그녀가 말했다.

"형니임…… 새끼들은…… 어때요?"

"응 귀여워……. 그런데 더워서 큰일이다."

"형니임 귀농생활 힘들어요. 형님은 몇 년 되셨어요?"

"난 5년."

"그래요. 전 1년인데 힘드네요……. 그나저나 형님 이번 장에 저 강아지들 내다 파실거에요?"

고알피엠은 잠깐 망설였다. 그런 방법도 있었던 거였다.

"그럴 수도 있겠네……. 그런데 새댁 설마 사람들이 그것들을 사서 잡아 먹지는 않겠지?"

그러자 야실야실한 팔다리를 버들가지처럼 휘감으며 고알피엠 곁으로 다가오던 새댁이 고운 목소리로 대답했다.

"그야…… 당장은 안 먹겠죠."

어이없는 표정이던 고알피엠 여사가 갑자기 벌떡 일어났다. 새 댁이 고운 목소리로 "왜 그러세요?" 물었다.

"이거…… 지네…… 아냐?…… 지네."

새댁은 낭창한 목을 빼서 들여다보더니 말했다.

"지네네요오 형니임. 그런데 지네는 죽여야 해요."

그리고는 그 가느다란 발목에 달린 섬세한 발로 지네를 퍽퍽 눌 러 죽이는 것이었다. 고알피엠은 왠지 새댁이 좀 무서워져서 "음 내가 가볼 데가 있어서 말이야" 하며 집을 나섰다. 낚시인은 며칠 째 낙동강 살리기를 한다고 경상도로 떠나고 집에 없었다. 그녀는 차를 몰아 노고단 휴게소로 갔다. 새삼 사춘기인가 싶게 눈물이 나 왔다. 이럴 때 은나라고 부르는 꽁지 작가에게 전화를 하면 "사춘 기는 무슨 사춘기 갱년기지. 그런데 낚시인 밥은 해주는 거지?" 하 며 쏘아붙일 게 뻔했다. 낚시인을 먼저 알았다고 시누 노릇을 하려 들어 한번은 대판 싸운 적도 있었다.

지리산 천지에 혼자인 것 같은 이런 때 전화를 걸 곳은 한곳밖 에 없었다. 연관 스님이었다. 연관 스님은 전화를 받자마자 모든 레퍼토리를 알고 있다는 듯 "그래 낚시인하고 싸웠는가?" 물었다. 아니라고 하자 "그럼 예쁜 여자가 낚시인네 시창작반에 제자로 들

✤ 왼쪽부터 수경 스님, 연관 스님, 도법 스님

어왔는가?" 했다. 아니라고 하자 "그러면 곡차가 먹고 싶은가 보
구만. 어여 오게, 내가 마주 앉아 있어줄 테니." 알피엠 여사의 얼
굴에 생기가 돌았다. 맞다, 그거였다. 갱년기가 아니라. 알피엠은
나비같이 차를 몰고 산 밑으로 내려가 실상사로 들어갔다. "스님
도 목 타실 거 같아서 호호" 알피엠은 맥주를 꺼내놓고 마셨다. 알
피엠 여사의 알피엠이 올라가기 시작했다.

"스님 제가 안주도 변변히 못 사왔는데 가서 냉면이나 드실래
요?" 평소에 모든 종류의 국수 특히 냉면이라면 사족을 못쓰는 연
관 스님이 잠시 머뭇하시더니 고개를 저었다. 그리고 보니 지난여

298

름 하안거에 들어갔던 연관 스님은 수경 스님이 승적을 모두 내려놓고 잠적하신 데 충격을 받고 선방을 나오셨다. "도반을 중노릇도 못하게 하는데 참선은 해서 뭐하노?" 연관 스님은 홀로 수경 스님이 있을 만한 곳을 찾아 강원도를 헤매셨다고 낙시인이 말했다. 그렇게 수경 스님을 찾아냈는지 아닌지 연관 스님은 수경 스님의 처소에 와서 경전을 번역하고 계셨다.

그렇게 수경 스님이 잠적하신 다음 불교의 3총사라고 불리던 나머지 도법과 연관 스님은 수경 스님이 그토록 좋아하시던 냉면을 입에 대지 않았다. 알피엠은 연관 스님의 서글한 눈매가 젖어드는 것을 보고 얼른 말을 바꿨다. "스님, 수경 스님이 미우시죠?" 그러자 연관 스님의 눈가에 화색이 확 피어났다.

"밉기는 뭘."

"그런데 세 분은 만나기만 하면 5분도 지나지 않아 바로 싸우시잖아요. 사이 나쁜 우리 부모님도 그래도 한 15분은 있다가 싸우시는데. 그러니까 사람들이 전생에 세 분이 각기 부부였다고 하지요."

연관 스님은 껄껄 웃었다. 해인사 수덕사 금산사, 경상 충청 전라 이렇게 다른 문중에서 출가하고도 이렇게 도반이 된 것은 기이한 인연이었다. 사람들은 도법 스님을 머리를 쓰는 지장, 수경 스님을 마음을 쓰는 용장, 그리고 연관 스님을 연륜이 깊은 덕장이라고 불렀다. 지장, 용장도 멋지지만 누구나 힘들고 울먹일 때 찾아가는 것은 연관 스님이었다. 수녀님들 팬클럽도 알게 모르게 있다고 들었는데 연관 스님은 입이 헤벌어지게 웃으실 뿐 부정도 긍정도 안 했다.

지리산 댐 계획이 발표되면서 이 세 스님은 사회에 전면으로 나섰다. 지리산을 살리기 위해 가장 먼저 지리산에서 죽어간 그 모든 생명들을 위한 위령제를 지내기 위해 세 분은 각기 3년씩을 준비하기로 결의한다. 도법 스님은 실상사 안에서 출입을 삼가는 수도를, 수경 스님은 지리산 850리 낙동강 1천3백 리 순례를, 그리고 연관 스님은 백두대간을 종주한다. 위령제 하나를 지내기 위해 3년간 희생과 공을 바치는 수도자의 모습을 요즘에는 그리 흔히 볼 수 있는 것은 아니다.

알피엠이 말을 잇지 않자 연관 스님은 괜히 알피엠의 질문에 대답하는 것처럼 수경 스님의 말을 꺼냈다.

"내가 미워하지 않을 수가 없는 게 말이야. 젊을 때 우리가 셋이서 외딴 곳에 선방을 잡고 정말 용맹정진하기로 결의를 했단 말이야. 그래서 일단 도법이 밥을 맡고 내가 나무를 하고 수경이 군불을 때기로 했지. 그런데 이 도법이가 말이야 머리를 굴리더니 어느 날 국수를 잔뜩 삶아서 바구니에 가득 건지더니 그러는 거야. 밥하는 것 때문에 수행에 지장이 있어서 보름치를 삶았네. 알아서들 드시게, 하더란 말이야. 그랬더니 수경이가 대뜸, 그래? 그럼 나도 보름치 군불을 한꺼번에 땔 테니 그리 알게, 하는 거야. 그러더니

❀ (위) 수월암 연관 스님 거처, (아래 좌) 수월암 우체통 , (아래 우) 실상사 석등

나보고 보름치 나무를 해오라는 거야. 생각해보게 백번 양보해서 국수도 보름치 삶을 수 있고 나무로 보름치를 한꺼번에 해 올 수 있지만, 군불 보름치를 한꺼번에 때면 뜨거워서 사람이 어찌 견디나? 내가 그리는 못한다고 했더니 수경이 그럼 내가 안 하는 게 아니라 나무가 없어서 나는 못 때네, 이러더란 말이야. 에잇."

연관 스님은 혀를 끌끌 찼다. 그렇게 싸우시면서 붙어 다니는 이유는……. 알피엠은 안다. 그것이 불교를 위한 일이면, 그것이 생명을 위한 일이면, 그것이 권력에 억압받는 사람들을 위한 일이면 세 분은 두말 않고 한 몸이 된다. 그때 세 사람을 갈라놓을 수 있는 것은 아무것도 없다. 욕망이 있어야 유혹이 생기는 것, 돈도 권력도 여자도 그 세 사람이 한 몸이 되어 나서는 것을 막지 못했다.

그런데 한 가지 그들이 정말 못 이기는 유혹이 하나 있다. 그건 국수, 그중에서도 냉면이다. 젊은 시절 하안거를 마치고 나온 세 스님은 산에서 내려오는 길에 바로 냉면집으로 들어가 각 열여섯 그릇씩을 먹었다는 일화가 있다.

"하안거 나오셔서 스님들이 무슨 돈이 있다고 냉면을 그리 잡수셨대요?" 고알피엠이 묻자 스님이 대답했다.

"글쎄 말이야. 그런 걸 다 미리 계산할 줄 알면 내가 중이 되었겠나. 어쨌든 먹었어. 그런데 나중에 보니 그걸 곁에서 보던 불자가 정말이지 몇 그릇이나 먹나 세고 있다가 나중에 입을 딱 벌리고 계산을 하고 갔다 하두만."

연관 스님은 시익 웃었다. 고알피엠이 말했다.

"스님 지금 꽁지 작가가 쓰는 '지리산 행복학교'가 책으로 나오면 낙시인도 사진료를 조금 받아요. 그러면 그때 수경 스님 모시고 우리 꼭 냉면 먹어요. 이번엔 각 스무 그릇씩 먹어요. 네?"

연관 스님은 빙그레 웃으며 눈을 지그시 감았다. 강물이 강물 따라 자연스레 흘러가게 하기 위해 선승이 거리로 나섰다가 승적을 버리고 잠적하는 이 세상을 오래도록 바라보기가 힘겨우셨기 때문인가 보았다.

'섬지사 동네밴드' 결성 막전막후

.
.
.

갑작스레 들이닥친 멤버들
서로 악기 실력으로 자웅을 가리는데,
가방 안에서 악기를 꺼내기 시작하는 버들치 시인은…

이렇게 비가 내리는 계절에는 밭에 나가기도 그렇고 산에 가기도 그렇다. 알피엠 여사는 오늘 비가 오는데 오랜만에 남편과 정자에 누워 두두두두 울리는 빗소리를 들으며 이야기를 나누고 있었다.

"여보, 당신은 노후 걱정 안 돼?"

낚시인이 대답했다.

"뭐하러 그런 걱정을 해? 노후를 안 오게 하면 돼."

그러자 알피엠여사는 역시 남편 낚시인이 너무 자랑스러웠다. 이렇게 옳은 말이 있다니.

"여보, 당신 전에 화개장터에 책방 하나 내고 싶다고 했지. 엄선된 30권만 놓고 파는 책방."

낚시인은 빙그레 웃었다. 정말 그의 꿈은 딱 30권만 놓고 파는 책방이었다. 그 대신 그가 읽고 정말 소장가치가 있다고 생각하는 책이어야 했다. 대신 차는 공짜란다. 그러자 알피엠이 말했다.

"당연히 장사가 안되겠지? 집세만 나오면 되지 뭐. 당신은 거기에 책상 하나 갖다놓고 천천히 시를 쓰고……. 그러니 내가 그 책방 바로 옆에 식당을 내겠어."

낙시인이 잠시 생각하다가 너무 놀라 벌떡 일어났다. "당신이 식당을?"

"응, 여보. 우리나라 식당들은 너무 반찬을 많이 줘. 사람들이 부담스럽잖아. 모두가 집 밥처럼 먹을 수 있도록 약간 타거나 선밥에 신김치, 졸아붙은 된장찌개, 이런 거를 주 반찬으로 하는 거야. 얼마나 소박해, 그 이름은 '성의없는 부인 식당'이야."

"대박이다! 대박이야." 낙시인이 웃었다. 거기에는 약간 어이없음이 있었는데 알피엠여사의 눈은 꿈에 부풀었다.

"그 식당에는 부인 밥을 먹은 지 오래되는 노동자, 농민, 빈민, 진보적 지식인들이 대거 몰려올 거야. 그리고 그 식당의 특징은 절대 밥을 퍼주지 않고 국도 식어 있고 그리고 여주인은 매일 없는 거야. 여보 어때? 집 밥의 극치지?"

낙시인이 뭐라고 하려는데 그들의 집으로 버시인과 기타리스트가 들어섰다. 그 뒤에는 옻칠 공예가 성광명(본명이다. 옻칠 공예가가 되기로 결심하고 태어난 사람처럼) 씨가 들어섰다. 그들은 셋 다 기타를 메고 있었는데 비장한 표정이었다. 버시인이 먼저 입을 열었다.

"낙시인도 알다시피 우리들이 일찍이 섬지사(섬진강과 지리산 사람들)를 조직해서 생태를 고민하고 환경을 고민하고 귀농을 고민하고 아이들의 교육을 고민했다."

"음 그랬지." 고알피엠이 대답했다.

"우리의 고민은 깊어지고 깊어지고 깊어졌다. 그래서 우리는 이제 그 고민의 결실로 밴드를 하나 조직하기로 했다."

고알피엠은 머리를 갸우뚱거리며 그 상관관계를 생각해보려고 했으나 도무지 감이 잡히지 않았다. 그런데 이상하게도 평소와는 다르게 재빠른 말이 버시인의 입에서 나왔다.

"그런데 여기 세 명의 기타리스트가 있으므로 서로 오디션을 보려고 한다. 그래서 낚시인 부부에게 그 증인이 되기를 청한다."

생태와 환경을 고민하는 그들이 '그래서, 왜' 밴드를 조직하는지 이해하기 힘들었지만 버시인의 말투는 장엄했다. 먼저 제일 자신 있는 기타리스트가 기타를 쳤다. 도자기를 배우면서 틈틈이 기타를 배운 그의 솜씨는 한때 밤무대에서 초청을 받았을 정도로 뛰어났다. 그의 손가락들은 화려하게 줄 사이를 누볐고 음은 현란했다. 아주 멀리 밤안개 속에서 보면 약간 신중현의 기타 연주와 닮았다고 할 사람이 한 명은 있을 것이었다. 낚시인 부부는 박수를 쳤다. 그러자 이번에는 성광명 씨가 기타를 들었다. 그는 고교와 대학 때 밴드의 베이스 출신답게 소심하고 정확하고 그리고 느긋했다. 낚시인 부부는 이번에도 박수를 쳤다. 이제 버들치 시인 차례였다. 버시인은 잠시 망설이더니 입을 열었다.

"내가 어제 어떤 여자가 찾아와서 가세홋! 해도 늦게까지 안 가는 바람에 컨디션이 조금 나빠……. 그러니 감안하고 들어라……이?"

버시인이 기타를 치기 시작했다. 이상하게 고요한 침묵이 정자에 앉아 있는 다섯 사람을 감쌌다. 도자기 기타리스트가 말했다.

"형님은 좋은 분이고 착하시고 훌륭하신 시인이시며 섬지사에서 활동하시면서 생태와 환경과 아이들 교육을 고민하시는 존경스러운 분이십니다. 그래서! '동네밴드' 기타에는 좀……."

버시인의 예민한 얼굴이 순간 확 굳어졌다. 사람 좋은 알피엠이 사태를 수습하려 나섰다.

"그래, 형은 무슨 기타…… 형은 그냥 시 써……. 가사 쓰고 그러면 좋잖아."

평소에는 사람 좋던 버시인의 눈매가 날카로워졌다. 그는 큰기침을 하더니 가방에서 무언가를 조심조심 꺼냈다. 하모니카였다. 그가 말했다.

"니들 말이야. 꼭 밴드라고 기타 이런 것만 생각하는 게 바로 경직된 사고야."

그의 하모니카 솜씨는 괜찮았다. 우리가 초등학교 때 시골에 가면 중학교 1학년 사촌오빠가 열심히 불어주던 정도……. 사람들이 대답했다.

"괜찮네…… 그래 괜찮아."

그러자 버시인의 순한 얼굴에 오기가 발동하는 듯 갑자기 거칠게 가방을 열고 다른 악기를 꺼냈다.

"너네들 이 악기 이름 아냐? 카바사?"

그리고 그것을 흔들었다. 카바사…… 아시는 분은 아시겠지만 노래방에 가면 탬버린 옆에 있는 그 모래 소리 나는 흔들이 악기이다. 버들치 시인은 이제 자리에서 일어서서 어깨를 흔들며 흥을 내었다.

"베싸메, 베싸메 무초……" 일순 정자 안은 더욱 조용해졌다. 버시인은 다시 가방을 뒤졌다. 그의 손에는 탬버린이 들려 있었다. 그는 이번에는 정자에서 벌떡 일어나 탬버린에 맞춰 노래를 불렀다. "잊지 못할 빗속의 여인……" 정자는 더욱 더욱 더욱 고요해졌다. 그러자 버들치 시인은 노래를 다 부르지 못하고 앉더니 가방 구석을 뒤져 다른 악기를 찾아냈다. 그리고는 말했다.

"내가 좀 다루는 악기가 많아서 미안하구나. 오디션이 좀 길어지제?" 그의 손에 들린 것은 캐스터네츠. 그는 그것을 짝짝 하며 노래를 불렀다.

"나성에 가면 편지를 띄우세요. 뚜루루루 뚜루루와."

정자 위의 사람들이 더욱 조용해지자 민망한 알피엠이 버들치를 돕기 위해 나섰다.

"형, 정말 악기 많이 다룬다. 그럼 형은 트라이앵글, 큰북, 작은 북, 징, 심벌즈, 다 다루겠네. 와 모두 몇 개야? 몰랐어. 형이 열 개도 넘는 악기를 다루는 줄은……."

성광명 씨가 이 모든 광경을 보고 있다가 입을 열었다.

"형님, 그럼 노래라도 하쇼. 하는 수 없지."

그래서 '동네밴드'는 결성되었다. 그날 밤 알피엠은 잠 못 들고 뒤척이고 있었다.

"여보, 내가 생각해보니까 우리 노후에 내가 빤짝이 옷 입고 당신 오토바이 뒤에 타고 노래 부르러 다니면 어떨까? 내가 노래 못한다고는 아무도 못 말하잖아. 내가 그래도 버시인보다는 낫잖아. 나도 하모니카는 못하지만 카바사, 탬버린, 캐스터네츠, 트라이앵글, 큰북, 작은북, 징과 심벌즈 이렇게 여덟 개 악기를 다루잖아. 그러니까 나도 동네밴드에 들어갈래."

그러자 낚시인이 말했다.

"그런데 당신은 악양이 아니라 구례 사람이잖아."

그리하여 2009년 동네밴드는 기타리스트 둘과 건반 하나 그리고 버시인 보컬에 고알피엠의 객원 보컬로 시작되었다. 그들은 열심히 연습했다. 첫 공연은 농사일이 끝난 12월 초 악양에 있는 매계초등학교 폐교 자리에 선 청소년 수련원에서 열렸다. 결과는 대성공. 사람들은 어수룩한 밴드를 생각했으나 연주는 수준급이었다. 동네밴드 멤버들은 너무 기뻤다. 소문은 퍼져 그들은 함양 상림숲에서 열리는 〈지리산 문화제〉에도 초대장을 받게 되었다. 그들은 의기양양 함양으로 떠났다. 그런데 무대가 생각보다 너무 컸

❖ 버들치 시인의 하모니카 연주

다. 악양 동네하고는 달랐다. 그들은 오돌오돌 떨며 무대에 섰다. 연주는 자꾸 틀렸다. 너무 큰 무대 탓이었다. 그나마 그 넓은 객석에 관객이 관계자 10여 명을 빼고 30명 정도인 것이 다행이었다. 돌아온 그들은 논의를 거듭했다. 이게 다 연습실이 없는 탓이었다. 그래서 옻칠 공예가 성광명 씨의 땅에 연습실을 하나 지었다. 이 동네에서 집을 짓는 일은, "집 짓는다" 하면 모두 모여 집을 지으면 되는 것이었다. '풍악재' 현판식을 올리고 연습에 돌입했다. 연주가 끝날 때마다 기타리스트는 감격에 겨워 "오 하느님, 진정 이게 우리가 연주한 것이 맞습니까?" 하며 눈물을 글썽였다. 소문은

퍼졌고 면장이 이태째 동네밴드의 공연에 돼지 한 마리와 막걸리 두 말을 보냈다. 청소년 수련원 이층에서 뒤풀이로 술을 마시다 자고 갈 사람들에게는 미리 1만 원을 받고 숙소를 배정했다. 그날 꽁지 작가가 '지리산 행복학교'를 쓴다며 악양으로 왔다. 첫 공연에서 자극을 받은 귀농자의 아이들이 '구멍난 양말'이라는 밴드를 구성해 노래를 했고—이제는 알피엠까지 긴장을 했다. 아이들은 몇 개월 만에 놀라운 연주와 가창 실력을 보였다—여자 통기타 모임인 '필통'의 공연도 있었다. 부츠를 신고 선글라스를 낀 알피엠은 그날의 히로인이었다. 〈청량리 부르스〉는 그녀의 저음과 너무도 잘 어울렸다. 게다가 다음 달이면 그녀는 구례에서 하동으로 이사를 온다. 그러면 이제 객원이 아닌 것이다. 보컬 자리를 놓고 긴장한 버들치 시인은 작사 작곡에 착수했고 그래도 마지막 피날레를 거머쥐었다. 노래는 이렇게 이어졌다.

악양에 산다

악양에는 없는 것이 너무 많아
삼층집도 없어 아파트도 없어
악양에는 없는 것이 너무너무 많아
색시집도 없어 비닐하우스도 없어(요즘 좀 생겼지만)
난 악양에 산다 난 악양에 산다.

섬진강가 은모래 반짝이는

지리산 자락 햇볕 쏟아지는

난 악양에 산다.

악양에는 좋은 것이 너무 많아

바람에 춤추는 청보리밭 키 낮은 돌담

악양에는 좋은 것이 너무너무 많아

맛있는 대봉감 뛰는 아이들의 맑은 웃음소리

난 악양에 산다 난 악양에 산다.

섬진강가 은모래 반짝이는

지리산 자락 햇볕 쏟아지는

난 악양에 산다.

마지막 후렴은 온 관객이 같이 불렀다. 난 악양에 산다. 난 악양
에 산다.

악양, 그것은 지리산의 다른 이름, 그것은 경쟁하지 않음의 다
른 이름, 그것은 지이(智異), 생각이 다른 것을 존중하는 이름. 그
것은 느림을 찬양하고 생명을 존중하는 이름……. 공연 도중에 소
주가 나누어지고 구수한 돼지고기 냄새 퍼지는…… 그런 악양에
그들은 그렇게 살고 있었다.

학교종이 땡땡땡

지리산 인근의 사람들 하나둘 모여 학교를 열고,
웃으며 술도 마시고 사람도 알아가며 즐겁게 배우다.

젊었을 때 한시를 공부하러 다닌 적이 있다. 그때 스승은 공자와 노자, 장자를 비교하면서 원래 기후가 춥고 산이 많은 지역은 먹고살기가 힘들어 무엇이든 손을 보아야 하고 바로잡아야 하고 규율을 엄격히 해야 하는 사상이 발전하는 특징을 가졌고, 기후가 온난하고 들이 넓어 먹을거리가 풍성한 남쪽 지역에서는 나무 그늘에 앉아 명상을 하거나 아니면 모든 것이 다 제대로 될 터이니 가만히 있으라는 식의 사상들이 발전해온다는 이야기를 하셨다. 스승이 이렇게 단순히 이야기하셨을 리야 없지만 어쨌든 자연과 인간이 서로 밀고 당기며 서로를 만들어가는 이치를 엿본 것 같아 아주 신기했었다. 그래서 가끔 남북으로 긴 나라에 가면 남쪽과 북쪽 사람들(남반구의 경우는 반대겠지만)을 비교해보곤 했다.

나와 비슷한 시기에 지리산 인근에 관심을 가지고 있던 사람 중에 《88만원 세대》의 저자 우석훈 박사가 있다. 경제학자인 그는 주로 지리산 북사면, 그러니까 실상사와 남원 근처를 자주 방문하곤

❧ (위에서부터) 지리산 학교 기타연주반, 옻칠공예반, 공개강좌 뒤 뒤풀이 장면

했다는 것이다. 실상사 부근이라면? 남원시 산내면이다. 이곳에서는 실상사 도법 스님의 주도로 귀농학교와 대안학교, 온갖 학술 세미나가 열리곤 했다. 내가 이 글에서 다룬 사람 중에서 카페 소풍 주인인 목공예가, 사진작가 강병규 씨, 그리고 목수 박문수 씨는 모두 이름 옆에 괄호를 열면 들어갈 직업을 가지고 있다. 이에 비해 최도사, 버들치, 낚시인, 고알피엠 등은 남쪽사면에 사는 사람들인데 도사, 시인 등이 이름 옆에 들어갈 직업이라고 하기에는 지리산 말로 거시기한 점이 있다. 경제학자가 그런 지리산 북사면을 방문해 세미나에 참석하고 학교들을 연구하는 동안 작가인 내가 남사면을 방문해 술을 마시고 화전을 부치고 천렵을 하고 동네밴드를 감상하고…… 단순한 우연만은 아닌 것 같다는 생각이 점점 더 든다.

그러던 어느날 고알피엠은 수경 스님을 뵈러 갔다가 북사면 사람들이 이 학교, 저 학교, 이 세미나, 저 세미나에서 열심히 공부하는 것을 목격하게 되었다. 모두 공부하러 갔으니 심심하기도 해서 이제는 재미있게 놀던 자신의 생을 반성해야겠다고 생각한 그녀는 무슨 공부를 할까 생각했으나 아무래도 맘에 드는 공부가 없었다. 그러던 중 그녀는 지리산에 다니러 온 사진작가를 만나 대뜸 사진을 공부할 수 있겠느냐고 묻게 되었던 것이다. 사진작가는 부산의 자신의 작업실에 언제든 오라고 그녀를 초대했고 그녀는 부산을 드나들게 되었다.

그 소식을 들으며 다시 자신을 반성한 사람이 하나 있었다. 사진작가 이창수 씨이다. 그는 10년 전쯤 지리산에 왔다. 그가 이곳으로 온 동기는 이랬다. 어느 겨울날 회사 앞의 시끌벅적한 삼겹살집에서 바람을 쐬러 밖으로 나오는 순간 찬바람 같은 이상한 기운이 머릿속을 파고들어 오는 것을 느낀다.

　'내년이면 마흔, 사진기자 생활 16년 동안 열심히 뛰었다. 그런데 도대체 무엇을 하며 무엇을 위해 살았단 말인가.'

　사람이라는 존재는 정말 신비롭다. 이런 질문 하나가 마음속에 일어나 해일처럼 덮치며 자신의 삶은 물론 가족들의 삶까지 송두리째 바꾸어버릴 수 있는 것이니 말이다. 그래서 그는 지리산으로 왔다. 그런데 10년이 지난 후 다시 한 번 어떤 질문 하나가 머리를 내밀고 신선한 바람처럼 스며들었다. '이곳에 와서 참 재미있게 잘 먹고 살았다. 그런데 너무 나 하나만을 위해 산 것은 아닐까?'

　이 소식은 곧 가까운 버들치와 낙장불입 시인과의 술자리로 이어졌다. 옳은 일이면 무엇이든 무조건!! 해야 한다고 하는 버들치 시인의 강력한 동의와 좋은 일이면 좋다는 낙장불입 시인의 동의로 그날 '지리산 학교'가 태동한다.

　"그려, 우리가 술만 먹는 사람들이 아니라는 것을 이 기회에 보여주어야 혀."

　버시인이 외쳤다. 고개를 끄덕이다 말고 낙시인이 물었다.

　"누구한테 보여주는데?" 버시인은 잠깐 머뭇거리더니 "……그건 몰라, 그러나 알려야 혀"하며 술이 가득 든 잔으로 건배를 제의했다.

돌아보니 주변에 수많은 예술가 선생들이 있었던 것이다. 이곳에 살며 친하게 지내는 사람들만 꼽아보아도 목공예반, 천연염색반, 도자기반, 사진반, 기타연주반, 퀼트반, 그림반, 숲길걷기반, 시문학반 등의 아홉 개 과목을 꾸릴 수 있었다. 학생들의 학비는 석 달에 10만 원, 강사들의 급료는 한 달에 7만 원, 그나마 시문학반은 버시인과 낙시인, 두 사람이나 있어 둘이서 3만5천 원씩 받기로 했다. 이상은 교사들의 회의에서 이루어진 결의였다. 겨우 거기까지 결의하는데 수많은 시간이 들었다. 왜냐하면 친구가 와서 술을 마시느라, 꽃구경 가느라, 깜빡 잠이 들어서 회의에 참석하지 못한 교사가 많아지기 시작했기 때문이었다. 하는 수 없이 겨우 사람들을 모아다 놓으면 그들은 회의 내내 "나 잠깐만 누워서 들을게" 하고는 코를 골기 일쑤였다. 어쨌든 구례와 하동 지리산 인근에 소문이 퍼져 나갔다. 술집에서 몇이 떠들면 바로 그렇게 온 지리산 자락이 알게 되기 때문이었다. 의외로 수많은 학생들이 몰려들었다. 70명의 학생을 받은 그들은 면사무소 2층 소강당을 빌려 입학식을 치렀다. 20대에서 60대 노인까지 구례, 하동, 순천, 전주는 물론 부산에서까지 학생들이 몰려왔다. 처음부터 지리산 학교는 '움직이는 학교'였다. 카페, 마을회관, 선생들의 작업공방이 곧 교실이기도 했던 것이다. 그런데 소문이 퍼지자 많은 사람들이 문의를 해오기 시작했는데 그들이 묻는 질문 중 가장 많은 것이 "대체 그 학교가 어디 있냐?"는 것이었다. 아무리 움직이는 학교이고 지리산 전체가 다 학교라고 해도 믿지 않았다. 그래서 다시 사진작가 이창수 씨가 자신의 작업실로 쓰던 한옥을 한 채 내놓았다. 그것을 교무처로 삼기로 한 것이었고, 이 학교를 태동시킨 고알피엠 여사를 교무처장으로, 고알피엠이 아무리 알피엠을 올려도 자신만의 낮은 알피엠으로 버티는 뚝심의 저알피엠 여사를 간사로 모셨다. 처음 시문학반이 열리던 날, 버시인과 낙시인은 첫 수업이라 함께 들어갔다. 이곳에서 시를 습작하던 문학소녀 출신들이 대부분이었는데 낯선 얼굴이 하나 눈에 띄었다. 그녀는 고개를 외로 꼬며 자기 소개를 했다.

"지는 마 하동서 속옷가게를 운영하고 있는 사람인데예, 시까지는 모르겠고 마 인터넷 안 있습니꺼. 거기 댓글을 기똥차게 달고 싶어서 등록했어예. 그러니께네 지보고 시를 써온나, 샘이 그러시므는 저는 다시는 못 옵니더. 지는예 우리 훌륭하신 버시인님 낙시인님 얼굴만 보고 있어도 지는 마 교양이 팍팍 이 가슴속으로 차오르는 것 같으니께네 너무 좋심더. 앞으로 혼자 사시는 버시인님 속옷은 지가 책임지겠어예. 그라고 앞으로 빤스, 난닝구, 어무이들 사리마다, 이런 거 사실 분들은 하동 버스터미널 앞에 비너스로 오이소 내가 마 잘해드리겠습니더. 그리고 지 이름은 밝히기가 좀 거시기 허니께, 그냥 비너스로 불러주이소."

✤ 급료 7만원의 지리산 학교 강사들

수업은 일주일에 두 시간. 그런데 한 시간 강의를 하고 나서 5분을 쉬고 나면 학생들은 슬그머니 테이블 위에 고구마 찐 것, 집에서 가져온 매실주, 면서기는 읍내에서 튀겨온 통닭을 내밀었다. 버시인은 망설이다가 말했다.

"우리가 술만 마시는 사람이 아니라는 걸 보여주기로 했는데 이러면 곤란한 것인데……. 허지만 뭐 술만 마시는 게 아니라 시 공부도 하면서 술도 마신다는 것을 보여주면 되니께. 자 그럼 건배."

이리하여 술자리, 아니 시 공부는 밤이 이슥도록 그칠 줄을 모르게 되었다. 시문학반은 그렇게 흘러갔으나 목공예반 같은 경우는 문제가 심각했다. 교사는 목공예라는 것을 가르쳐보기는커녕 그 자신도 배워본 적이 없는 사람이었다. 뭐 굳이 개념을 정리하자면 '모태 목공예가' 정도라고나 할까. 그는 처음 수업 시간에 진땀을 빼게 되었다. 그래서 그는 가르치는 대신 직접 시범을 보이게 되었는데 학생들의 말에 따르면 "그냥 선생님이 다 해주어서" 석달에 10만 원짜리 강좌가 끝나갈 무렵에는 거의 1백만 원짜리 수공예품 밥상을 집에 가져다 놓게 되었다는 것이었다.

이렇게 유명해진 지리산 학교에 어느 날 문화부 장관이 방문하고 싶다는 연락이 왔다. 하동군은 긴장했고 지원을 더 이끌어내면 수월하지 않으냐는 의견을 내놓았다. 실제로 장관은 이 학교에 지대한 관심을 보이며 많은 지원을 시사하는 발언을 보내오고 있었다. 교사 회의는 그것 때문에 열리게 되었는데 그 장관은 마침 취임하자마자 임기가 다 차지 않은 진보적인 단체장들을 마구 내쫓은 것으로 유명한 탤런트 출신이었다. 여느 때처럼 길게 누워 자고, 머리 기대고 자고, 휴대폰으로 문자 보내던 교사들은 거의 코까지 골던 버들치 시인이 벌떡 일어나는 바람에 다들 놀라 깨게 되었다.

"뭣이라! 누가 와? 니들 우리가 언제 돈 받자고 이 학교 시작했냐? 그래 좋다. 오라고 해. 내 본때를 보여줄 것이여." 버들치 시인이 팔을 걷어붙이자 비몽사몽간 사태를 얼른 파악한 다른 이가 덧붙였다.

"형님 말이 맞습니다. 오라 하십시오. 지는 달걀을 준비하겠습니다."

그러자 다른 이가 나섰다.

"형님들 말씀이 백번 옳습니다. 저도 준비하겠습니다. 제 것은 유기농 유정란입니다."

지리산 행복학교의 저녁풍경

바람도 아닌 것에 뒤척이기 싫어서 나는 도시를 떠났다.
우리는 지금 어디에 있는 것일까? 행복학교가 그립다.

그렇게 학교가 시작된 이후 지리산 자락 마을엔 몇 가지 변화가 생겨났다. 우선 기타를 메고 다니는 사람 숫자가 부쩍 늘어났고 꽃이 피거나 안개가 끼는 날이면 강가나 산 어귀에 카메라를 메고 다니는 사람이 자주 보이기 시작한 것이다. "카메라 비쌀 텐데 어떻게 구입했어?" 물으면 그들은 씩 웃으며 대답을 하지 않았다. 하기는 이들은 극빈자들이 아니라 터무니없이 비싼 집값을 물고 사는 도시의 삶을 거부했을 뿐일 것이다. 하지만 속내를 알고 보니 중고 장터에서 나오는 것을 알음알음으로 싸게 사서 쓰는 모양이었다.

한번은 최도사가 드디어 휴대폰을 들고 나왔다. 깜짝 놀란 내가 어디서 났느냐고 물으니 "친한 친구가 하도 답답해서 사준 것"이라고 했다. "연봉 2백만 원에 휴대폰 통화료가 버겁지 않아?" 내가 물으니 최도사가 대답했다. "그래서 여기 지리산 사람들 서로 전화 잘 안 해. 정 할 말 있으면 찾아가지. 것도 힘들면 문자 메시지로 하고, 그래도 사용료가 밀리면 발신 정지가 되는데 그러면 좋

✤ 섬진강변 코스모스길

지. 어차피 오는 전화만 받으니까 말이야. 그러다가 더 있으면 이제 수신마저 정지되는데 그때는 어떻게든 마련을 해서 조금 전화비를 내야 해. 우리에게 수신은 중요한 거야. 그래야 술이라도 얻어먹고 사니까."

그러면 술값은 누가 낼까? 이들은 그냥 없으면 없는 대로 있으면 있는 대로 먹는다고 하는데 그 말이 그리 틀리지도 않다. 한번은 어떤 분이 "꽁지 작가님, 우리 집에서 꼭 저녁을 드셔야 해요" 하기에 부담스러워서 피하려다가 그분이 하도 정성껏 권하기에 그 집에 갔는데(가면서 예의상 혹시나 하고 지리산 흑돼지고기와 막걸리를 좀 샀다). 정말 아무것도 준비해놓은 것이 없었다. 좀 당황스러웠다. 그러자 그분은 태연하게 "그럼 이왕 사오셨으니 이 삼겹살을 굽죠 뭐" 하고는 그제야 부엌으로 들어갔다. 그 집 마당 평상에 앉아 있으니 시장하실 텐데 우선 드시라고 민들레 김치와 열무 겉절이를 막걸리 안주로 내오는데 무어라 말할 수 없이 편안하고 고즈넉했다. 호들갑을 떠는 접대 말고 그냥 설렁설렁 마실온 기분. 그날 민들레 김치 위에 날리던 흰 자두꽃잎들, 멀리 지던 살구빛 노을…… 젖빛 막걸리가 어우러진 소박한 술상 앞에서 나는 오랜만에 정말이지 고즈넉하고 평화로웠다.

농사를 짓고 돌아온 그 집의 바깥주인은 "오셨어요?" 하더니 뒤뜰로 가서 무언가를 한 줌 쥐고 나왔다. 그의 손에는 표고버섯이 한 줌 들려 있었다. "구워 먹든지, 이따 된장에 넣든지. 제가 재배하는 거예요" 하는 것이다. 그러더니 그 집 안주인이 뒤채를 서성거리면서 "여보, 여기 돌미나리가 잔뜩 자랐다. 쌈 싸먹게 좀 뜯어줘" 하는 것이었다. 상추나 치커리, 토마토, 희귀하게 재배한 피망도 대접받아 본 적이 있지만 표고버섯과 돌미나리를 그 자리에서 대접받기는 처음이었다. 그리고 그날 결국 낙장불입 시인이 강남 좌파 형과 바이크를 타고 읍내에 나가 흑돼지고기를 두 배쯤 더 사오게 되었다. 이 사람 저 사람 모여들었고 그러니 젓가락 하나씩을 더 쥐여주게 되었고, 그렇게 술과 저녁식사가 나누어지고 있는 것이 이 지리산의 저녁풍경이니까 말이다. 이쯤이면 이 지리산 자락에 자주 들리는 꽁지 작가와 강남좌파 형이 흑돼지 천사라고 할 수도 있을 텐데, 실은 우리보다 더한 강적이 있다는 소문이 들려왔다. 그는 회 천사였다.

고알피엠 여사가 그를 처음 대면한 것은 '지리산 학교' 교무처에 걸려온 전화 때문이었다. 목소리는 좀 노쇠했고 지쳐 보였다. 그는 자신을 여수에 살지만 늘 지리산을 바라보며 사는 한 사람이라고만 소개하면서 대뜸 혹시 낙장불입 시인의 연락처를 알 수 있는지, 그리고 혹시 그 사람을 만날 수 있게 주선할 수 있는지를 물었다. 그리고 다시 덧붙였다.

"아주 작은 것이라도 제가 학교와 낚시인을 후원할 수 있다면 그렇게 하고 싶습니다."

고알피엠의 머릿속으로 그 순간 수많은 영화·드라마·소설·연극·콩트가 지나갔다. 목소리의 주인공은 70대 후반, 병실에 앉아 죽음을 기다리는 늙은 백만장자. 아니 꼭 백만장자는 아니더라도 나름 자수성가한 상당한 재산가. 그는 실은 지리산의 빨치산 출신임을 숨기고 평생을 살아온 인물이다. 그에게는 혈육이 없다. 그는 거기서 모든 것을 잃었기 때문이다. 그는 신문이나 꽁지 작가의 글을 통해 낙장불입 시인의 내력을 파악했고 이제 죽기 전에 아직 밝혀지지 않은 지리산 마지막 전투의 비밀 몇 개를 털어놓고 낚시인에게 그 글을 부탁한 후 전 재산을 빨치산의 아들이며 지금은 지리산을 지키는 낚시인에게 물려주려 그를 애타게 찾고 있는 것이다. 아!

그리하여 고알피엠은 급하게 대답했다.

"뭐 어려울 것 없어요, 제 남편이니까요."

며칠 후 그가 지리산 학교로 찾아오기로 한 날 고알피엠은 오랜만에 얌전한 스커트를 입었다. 그게 평생을 지리산에 모든 것을 바치고 이제 다시 지리산의 품으로 돌아오려는 노인에 대한 예의 같아서였다. 그런데 찾아온 사람은 젊어서 좀 고생을 했는지 겉늙어 보이긴 했지만 남편과 거의 비슷한 연배의 새파란(그가 새파랗게 젊은 것이 아니라 상상했던 70대 노인에 비하면 그렇다는 것이다) 남자였다. 그는 밝게 웃으며 악수를 청하다 말고 기침을 했다. "죄송합니다. 요즘 목감기가 어떻게나 심하든지. 제가 전화했던 그 사람입니다" 하고 쉰 목소리로 말했다. 그러더니 그는 대뜸 "제가 갯가 사람이라 뭐 선물을 드릴 게 없어서 회를 조금 가져왔는데 선생님들은 어디 계신지요. 여기 학생이 70명이라고 해서 회를 70인분 장만해 왔는데." 그가 가리킨 사륜구동 차의 뒷좌석에는 얼음에 채워져 보랭 처리된 회 박스들이 쌓여 있었다. 철은 늦은 봄날이었다. 해는 낮이 되면서 더 따뜻해지다 못해 뜨거워지고 있었다. 고알피엠은 마음이 급했다.

"그게 여기가 학교가 아니고 우리 학교는 한 군데가 아니고 70명이 한꺼번에 모이는 게 아니고……. 그런데 많다고 도로 가져가시면 안 되고 아무튼 먹어야지요. 귀한 건데 어떻게든 최선을 다해서 먹어야지요."

　그날 악양에는 때 아닌 회 잔치가 벌어졌다. 이렇게 먹고 저렇게 먹고 나중에는 그 귀한 것을 튀겨도 먹고, 찌개에도 넣어 먹고도 몇 상자가 남았다. 그것은 식구 많은 집의 냉동실로 들어갔다. 그 후로도 그는 지리산 학교의 행사가 있으면 빠지지 않고 여수에서 회를 날랐다. "좀 바보 같은 질문이긴 하지만 왜 그러세요?" 내가 묻자 그는 "꽁지 작가는 왜 여기 와서 흑돼지 사고 소주 사요?" 물었다. "그거야 우린 친구니까……." 내가 대답하자 그가 웃었다. "저도 친구예요. 게다가 우리 셋은 동갑이 아닙니까?" 나는 더는 묻지 않았다. 자수성가해서 지금은 큰 기업체를 꾸리고 있는 그가 왜 지리산을 늘 바라보며 살았는지 알 것 같았다. 이 대책 없고 셈 못하는 사람들, 서울 정계에서 실용을 중시한다는 자들의 눈으로 보면 낙오된 것처럼 보이는 이들에게 그가 왜 싱싱한 회를 새벽시장에서 주문해서 손수 이곳까지 날라 오는지 나는 알 것 같았다. 그것은 내가 힘이 들고 지치고 문득 서러울 때 무작정 길을 나서서 그들에게 달려가는 이유와 같을 것이었다. 가서는 고개를 흔들며 "내가 못살아. 왜 이렇게 게을러? 왜 그렇게 비합리적이야?" 지청구를 주지만 마음 깊은 곳에서 나는 알고 있다. 그곳은 사람이 사는 곳. 설사 내가 모든 것에 실패한다 해도, 설사 내가 모든 사람으로부터 외면받는다 해도, 설사 어느 날 내 인생이 이게 뭐야 마음속으로부터 절규가 불길처럼 뿜어져 나온다 해도, 외양간은 텅 비고 과일나무는 쓰러지고 산야가 불타버린다 해도, 그곳을 생각하면 세상에 무서운 게 없고 흐뭇해지는 것과 같은 이치일 것이다.

"50만 원만 있으면 될 거야. 그러면 1년치 집세를 내서 집을 얻고 그리고 젓가락이 있으면 돼."

학교가 끝나면 그들은 형제봉 아래 있는 형제봉 주막집으로 간다. 어린 시절 고향을 떠나 타향을 떠돌던 사내가 중년이 되어 중학생 아들 손을 달랑 잡고 고향으로 돌아와 비어 있던 마을 구판장을 리모델링했고 거기에 '형제봉 주막집'이라는 간판을 달았다. 우리가 아는 것은 거기까지. 더 물어볼 필요가 없었다. 고향에 있고 그는 이제 수많은 정다운 이웃에게 둘러싸여 있으니까. 술자리의 시작은 성서구절처럼 미약하다. "안주 고르시죠. 여기 메뉴 있습니다"라는 말로 시작된다. 그러나 그 끝은 창대해서 이제 주인도 취하고 객도 취하고 안주는 계산도 없이 넘치고 기타는 울리고 노랫소리는 드높아 밤을 지새우게 된다. 나는 그 모퉁이에 앉아 누군가 해놓은 낙서를 읽었다.

"바람도 아닌 것에 흔들리고 뒤척이기 싫어 나는 도시를 떠났다." 내 등으로 전율이 다 지나가기 전에 버들치의 반주가 시작되었고 낙장불입이 자신의 시를 낭송하기 시작했다. 안치환이 곡을 붙였던 그의 시였다.

행여 지리산에 오시려거든

천왕봉 일출을 보러 오시라

삼 대째 내리 적선한 사람만 볼 수 있으니

아무나 오시지 마시고

노고단 구름바다에 빠지려면

원추리 꽃무리에 흑심을 품지 않는

이슬의 눈으로 오시라

행여 반야봉 저녁노을을 품으려거든

여인의 둔부를 스치는 바람으로 오고

피아골의 단풍을 만나려면

먼저 몸이 달아오른 절정으로 오시라

굳이 지리산에 오시려거든

불일폭포의 물 방망이를 맞으러

벌 받는 아이처럼 등짝 시퍼렇게 오고

벽소령의 눈 시린 달빛을 받으려면

뼈마저 부서지는 회한으로 오시라

그래도 지리산에 오시려거든

세석평전 철쭉꽃 길을 따라
온 몸 불사르는 혁명의 이름으로 오고

최후의 처녀림 칠선 계곡에는
아무 죄도 없는 나무꾼으로만 오시라

진실로 지리산에 오시려거든
섬진강 푸른 그림자 속으로
백사장 모래알처럼 겸허하게 오고

연하봉의 벼랑과 고사목을 보려면
툭하면 자살을 꿈꾸는 이만 반성하러 오시라
그러나 굳이 지리산에 오고 싶다면
언제 어느 곳이든 아무렇게나 오시라

그대는 나날이 변덕스럽지만
지리산은 변하면서도 언제나 첫마음이니
행여 견딜 만하다면 제발 오지 마시라

행여 견딜 만하다면 제발 오지 마시라.

'행복학교'를 지키는
동창생 이야기

아쉽지만 내 지리산 행복학교 이야기는 여기서 멈춘다. 9개월 남짓 두서없이 이야기를 진행하면서 그들의 모습도 조금씩 변했다. 아마도 앞으로 더 많은 변화를 겪을 것이다. 그들의 이야기를 언제 다시 꺼낼 수 있을지 모르지만 아쉬움을 달래면서, 또 남은 이야기를 궁금해하는 독자들을 위해 곧 과거가 될 그들의 모습을 공개한다. 어쩐지 그 친구들의 이야기는 그만둘 수가 없다.

버들치 시인… 이 책의 남자 주인공 격인 버들치 시인에 대해 사실 이 글을 쓰는 내내 조마조마한 마음을 감출 수 없었다. "가세홋!" "오지 마세홋!" 말은 이렇게 하지만 여성들이 줄서서 가져오는 보따리에 행여 그가 좋아하는 꼬냑이라도 한 병 들어 있는 날에는 벌어진 입을 다물지도 못하는 그가 이 여성편력이나 "네 번 반"이라는 진술에 대해 행여 삐

334

치기라도 할까 봐 말이다. 이런 걱정은 고알피엠도 마찬가지여서 나 몰래 수시로 그의 집에 오는 여성의 수와 물품을 수시로 체크했던 모양인데, 이 글이 끝나갈 무렵 입을 삐죽이며 하는 말 "흥 여자들이 더 와, 더 온다구 흥!" 하는 것이었다. 한편 이 책에도 실린 〈그 아저씨네 간이 휴게실 아래 그 여자의 반짝이는 옷가게〉를 표제시로 하는 시집이 발간되었다. 그의 시는 놀랍게 변모했다. 더 따뜻해지고 내면보다 이웃에 대한 관심이 더 많아졌으며 가끔은 행복해 보이기도 했다.

그는 요즘 '동네밴드' 수장으로서 온갖 유세를 부리고 있다.

낙장불입 시인… 낙시인은 마침 수염을 깎게 되었는데 그게 내가 팩션으로 지어낸 장모의 출현시기와 맞아떨어지게 되었다. 그쪽에서는 나보고 무당이라고 하고 나는 그쪽을 보고 점쟁이라고 했다. 게다가 그는 머리까지 잘라 단정해졌는데 고알피엠 여사보고 머리끝이 갈라졌으니 조금만 잘라달라고 가위를 주었는데 고알피엠이 머리를 반 넘어 싹뚝 자르고 "어머!!!! 이를 어쩌면 좋아!!!! 여보 내가 실수했네…… 어떡해? 여보!" 했다는 것이다. 그날 밤 고알피엠은 기분이 좋아서 내게 문자를 했다. "낙시인은 5분만 있으면 '하는 수 없지' 할 거거든. 호호, 내가 생각해도 난 너무 여우야' 했다.

한편 지화자가 한여름에 새끼를 낳고 그 새끼들을 분양했는데 한 마리가 남자, 낙시인은 그를 '좋다'라고 이름지었다. 지금 그 집에는 개가 세 마리 있는데 각기 이름을 부르면 "얼씨구, 지화자 좋다!!!"가 된다. 그러나 가장 큰 변화는 그가 일정한 일을 하게 되었다는 것이다. 그는 꽁지 작가가 연재하던 신문의 그 난을 이어서 '길, 인, 생'이라는 것을 연재하게 되었다. 그러고 나서 그는 꽁지 작가가 시달리던 그 병에 걸렸다는 소문이다. 마감병.

고알피엠 여사… 처음에 그녀의 역할은 잘해야 조연이었는데 단연 전국의 인기를 얻으며 주연으로 떠올랐다. 내가 늘 주장하는 말이지만 '소설 속에서 얼굴 예쁘고 착한 여자와 잘생기고 멋있고 이 여자만 사랑하는 남자가 나오면 무슨 재미가 있단 말인가' 라는 이론이 옳다는 것을 여실히 증명해주는 그녀이다. 그녀가 조신했다면, 그녀가 염치 바르고 그녀가 부지런했다면 대체 이 이야기들이 재미가 있었을까.

원고를 마감하려던 어느 날 한명숙 전 총리가 낚시인 집을 방문했다는 이야기가 들려와 내가 전화를 했다. 사실이었다. 한명숙 전 총리가 신문에 연재되었던 낚시인의 이야기를 접하고는 지리산 여행길에 지인 몇과 함께 양해를 구하고 들려 차를 마시고 갔다는 것이다. 마침 낚시인은 출타 중이었다.

고여사는 전화를 건 손을 내려놓지 않고 알피엠을 높여 여러 가지 이야기를 들려주었다.

고여사 은니 되게 떨렸는데 그냥 좋은 아주머니 같았어.

꽁지 그래. 원래 소박한 분으로 알고 있어. 그래 자기보고 고알피엠이냐고 묻디?

고여사 (그녀답지 않게 쑥스러이) 으으으 응 호호.

꽁지 왜 그래?

고여사 그리고 거기 함께 온 다른 남자분이 내가 꽁지 작가가 묘사한 것과는 완전히 다르게 너무 미인이시라고, 선녀 같다고 하더라.

꽁지 (잠시 어안이 벙벙하다가) 그 사람 국회의원에 두어 번 낙선한 사람이지?

고여사 잉? 몰라. 근데 왜?

꽁지 원래 두어 번 낙선하면 사람만 보면 아부를 한다고 하네. 그나저나 그분들이 네가 텃밭이라고 주장하는 수풀을 보았니?

고여사 (풀이 죽어) 자꾸 사진을 찍으려고 해서 말렸어. 그분들이 하는 말이 참 신기하대. 이렇게 날이 추워지는데 오이와 고추가 다 마른 가지 끝에 매달려 있는 게 말이야, 호호. 그래서 내가 이게 다 내년을 위해 저절로 거름이 되라고 자연스럽게 매달아 놓는 거라고 했어.

꽁지 그나저나 대체 고추랑 오이랑 안 따고 그게 뭐니? 몇 개 열리지도 않은 걸.

고여사 근데 그게 고추를 따려고 하면 꼭 모기들이 달려드는 거야. 나 모기가 너무 무서워.

꽁지 대체 몇 시에 고추를 따러 가는데?

고여사 ……해질 무렵에

꽁지 헐!!!!

최도사… 최도사는 주차요원에서 쫓겨났다. 원인은 장발과 수염. 그는 묵묵히 물러나 우리 앞에 나타났다. 내가 "어떡해?" 하자 그는 심드렁하게 "내가 뭐 태어날 때부터 주차요원이었냐?" 한다. "쌀은 있어?" 내가 또 묻자, " 주소 좀 대봐. 내가 먹을 것 좀 부쳐줄게" 했다. 그러더니 어느 날은 술에 취해서 나보고 "꽁지야 내가 요즘 사람들을 엄청 만나고 다녀요. 내가 너한테 뭘 해줄 게 있어야지. 사람들 만나서 웃기는 이야기 있으면 얼른 말해주려고 말이야" 한다. 나는 참 행복한 작가이다.

소풍 주인… 지난여름 그는 내가 쓴 팥빙수 이야기 때문에 짭짤하게 팥빙수를 팔았다고 한다. 다만 내가 팥빙수 값 5천 원을 3천 원이라고 잘못 쓰는 바람에 혼이 톡톡히 났다고 한다. "신문에 다 났는데 속이기냐?" 하며 따지는 사람들 때문에 말이다. 그에게 심심한 사과의 말을 건넨다. 사실 요새 3천 원짜리 팥빙수가 어디 있겠는가?

강병규 사진가… 포클레인 팔았다고 고기를 낸다더니 부르지도 않고 자기네들끼리 구워먹은 모양이다. 좀 괘씸하다. 지리산 인심이 그러면 안 되는데……. 들자하니 요즘 장가가 가고 싶어서 그 사업에 열중하는 모양이다. 그렇다면 더더욱 괘씸하다. 주변에 독신인 누나 형들이 이렇게 씩씩하게 사는데……. 어쨌든 사과의 의미든 아니든 그는 아름다운 지리산 사계의 사진을 이 책에 기증했다. 그의 아름다운 사진이 더 알려지고 그가 좋은 가정을 꾸미기를, 하는 수 없이 기원해본다.

섬진강변 옷가게 여사장님… 내 글이 나간 이후, 정말 많은 사람들이 그 가게를 찾아와 옷 구경을 하고(여기서 옷을 산 사람은 혹시 고알피엠 하나?) 국수를 먹고 그리고 그녀를 축복해주고 갔다고 한다. 특히 잊을 수 없는 것은 그 길을 지나던 수녀님들이 거기서 내려 국수로 점심을 드시고 기도도 해주고 가셨다고 한다. 내가 알기로 수녀님들 정말 돈 없으신데……. 모두가 감사할 따름이다.

쌍계사 앞 음식점 미녀 사장님… 이곳도 그 이후로 수많은 사람들이 몰려와 문전성시를 이루었다고 한다. 다만 사장님이 내 글을 두고 "꽁지 작가 두고 보자. 내가 언제 강남좌파한테 반했다고 그래? 담에 오면 생당귀, 생곰취 이런 거 안주고 동동주도 조금만 줄 거라고 해!" 했단다. 그래서 여기에 쓴다. 미녀 사장님이라고. 들기름 냄새가 구수한 표고버섯 전에 걸쭉한 그 언니표 동동주 먹고 싶다(생당귀, 곰취도 있으면 주세요!).

시창작반 비너스… 형제봉 주막집에서 뒤풀이를 하는 날 그녀는 그곳에 모인 사람들 중 유일하게 내게 선물을 가져왔다. 당연히 선물은 속옷. 내 몸을 멀리서 보고 사이즈를 짐작했다는데 전문가답게 정확했다. 여자들끼리 몰래 그것을 펴보는 순간 모두 와우!!!! 하고 괴성을 질렀다. 남자들이 보고 싶어했지만 절대 사양. 나는 아직도 그걸 못 입고 있다.

강남좌파… 꽁지 작가를 위해 운전해준다는 명목으로 함께 지리산을 오가던 강남좌파는 장거리 운전으로 좌골신경통을 얻어 현재 치료 중이다. 자기가 좌파라서 좌골신경통이 온다는 말도 안 되는 소리를 하고 있다. 이 형은 남모르는 병을 하나 앓고 있는데 그 병의 특징은 자기도 모르게 조는 것이다. 나는 지리산을 오가는 내내 이 형이 졸까 봐 마음을 졸여야 했다. 그래도 운전대는 기어이 주지 않는다. 한번은 조수석에 타고는 코를 하도 곯아서 운전을 하던 후배가 불평을 하자 이렇게 말하기도 했다. "그래도 내가 조수석에서 조니까 얼마나 다행이냐? 꽁지 작가 모시고 다닐 때는 운전하면서 졸았다 야."

내가 어이가 없어하는 걸 아는지 모르는지 그는 이내 사람들 앞에서 뻐긴다. "강남좌파 되기가 얼마나 어려운지 아니? 우선 좌파되기는 그렇다 쳐도 강남에 살기가 너무 힘들어. 나처럼 한 아파트에서 22년이나 버텨야 한다구." 그는 요즘 좌골신경통 때문에 쥐포와 족발을 끊고 다이어트 중이라고 하는데 우리는 연례행사려니 하고 있다.

회 천사… 글 마지막에 나타난 회 천사는 요즘 꽁지 작가를 누님 비슷한 친구로 모시고 강남좌파를 형으로 하여 자주 회동을 한다. 흑돼지 천사인 강남좌파와 회 천사가 회동을 할 때면 지은이가 출현하곤 한다. 나중에 주민등록증을 확인하여 강남좌파를 형님으로 모시는 지은이라는 그는 술을 마시면 꽁지 작가에게 누님 누님 하다가 맑은 정신에서는 거부하곤 하는 분열을 보이고 있다. 그의 별명이 지은이가 된 이유는 그가 말하길 "지은이라는 놈이 누군데 온갖 책을 다 썼대요, 형님?" 하는 데서 유래되었다. 이 글이 길어지면 그의 이야기도 들어갈 텐데. 음 세상은 확실히 화엄세상. 다양한 빛깔의 꽃, 나무 풀 혹은 벌레들이 산다.

꽁지 작가… 긴 후기를 안 써도 되는 걸 기뻐하는 것도 잠깐 이렇게 후기를 쓰고 있다. 우선 모든 책을 내기 전 꼭 태몽을 꾸고 산통을 겪는데 이번에도 좋은 꿈을 꾸었다. 하지만 허리인대가 늘어나 한동안 임신부처럼 뒤허리에 손을 집고 다녔다. 하도 차를 많이 타서였다. 6년 된 차는 10만 킬로를 훌쩍 넘어버렸고 카센터에서 급기야 "대체 어디를 다니셨는데 타이어가 이래요?" 하는 말을 듣게 되었다. 그녀는 지금도 요통을 겪고 있다.

이밖에도 여기 출연시키지 못한 분들에게 심심한 사과의 말을 전하고 싶다. 우선 하동군수님. 웬만한 사람들을 다 잘근거리며 씹는 우리 친구들도 감탄한 분. 하동군 관내의 섬진강변에 모텔을 허락하지 않은 분, '지리산 학교' 특강 시간에 몰래 뒤에 와서 듣고 가시는 분. '지리산 학교' 행사 때 축사 대신 시를 읽게 해달라고 청하시는 분, 우리나라 공무원들이 이분만 같다면 하는 소리를 현지에서 들어보긴 처음이었고 꼭 소개하고 싶은 분이다.

또 하나는 '실상사 작은 학교' 학생들과 선생님들. 개교 10주년 행사의 "지리산아 우리도 이제 열 살이란다" 하는 걸개는 얼마나 사랑스러웠는지. 귀농한 분들이 여기에 아이들을 보내고 그 아이들은 내가 방문했을 때 기숙사 자기 방에서 즉각 내 책을 서너 권씩 가지고 나와 사인을 받았다. 자유, 책임, 그리고 자연과 사랑 속에서 커가는 아이들.

이외에도 구례 '동아식당' 아주머니. 가오리찜과 막걸리, 그 맛깔나는 안주를 얼마나 싸게 주셨던지. 그리고 가끔 테이크 아웃도 서슴없이 해주시던 분. 그리고 '섬지사'와 '필통', 산내면의 많은 귀농자 여러분들, 우리들이 가끔 낚시인네 정자에서 밤늦도록 고성방가를 해도 인내해주시던 화개면 중기마을 이장님 그리고 악양 막걸리, 악양 목욕탕(할머니들 때문에 앉을 자리가 없었지만 그래도 사우나가 하루에 네 시간은 나오는), 정서리 황토방 팬션, 모두모두 고맙습니다.

To be continued

공지영의 지리산 행복학교

ⓒ 공지영, 2010

초판 1쇄 발행 2010년 11월 25일
초판 38쇄 발행 2014년 5월 21일

지은이 | 공지영
펴낸이 | 정상우
편집주간 | 정상준
편집 | 이민정 정희정 심슬기
마케팅 | 김영란
관리 | 김정숙

펴낸곳 | 오픈하우스
출판등록 | 2007년 11월 29일(제13-237호)
주소 | 서울시 마포구 동교로13길 34(121-896)
전화 | 02-333-3705   팩스 | 02-333-3745
홈페이지 | www.openhousebooks.com
페이스북 | facebook.com/openhousebooks

ISBN 978-89-93824-46-9 (03810)